Quiero agradecer sinceramente a las personas que han hecho posible que la historia de Francisco Boix llegue a ser una novela gráfica: del Mauthausen Memorial, a Ralf Lechner, Gregor Holzinger, Andreas Baumgartner, por su paciencia y ayuda con la documentación. De la Amical de Mauthausen (España), a Rosa Torán y a Margarida Sala del Museu d'Història de Catalunya por su generosidad al revisar el guion. A Francesc Cardona por las fotos. A Josep Cruañas (Comissió de la Dignitat), Inma Navarro y Conxa Petit (Arxiu Nacional de Catalunya) y Ricard Marco (Fotoconexió) por ayudarnos a localizar algunas de las fotos. De la Amicale de Mauthausen (Francia), a Pierrette Sáez y Daniel Simon por su constante apoyo. Con afecto, a Benito Bermejo por acercarme al Boix más íntimo, por nuestras largas conversaciones y por su valiosa labor de investigación sobre Boix y los deportados. De Le Lombard, a Antoine Maurel (que me dio la primera oportunidad con esta historia), a Julie, Geneviève, Rebekah, Camille, Eric, Clémentine, Gauthier por vuestro trabajo y compromiso. A François Pernot por su fe en el proyecto. A Luis, Óscar y el equipo de Norma por querer llevar esta historia a los lectores españoles. Muy especialmente, a Pedro y Aintzane por su infinito esfuerzo, dedicación y talento en momentos tan difíciles. Y a Francisco, por supuesto.

SALVA

Este álbum está dedicado a la memoria de mi padre, al que echo de menos todos los días.

Quiero agradecer todo el apoyo que me ha dado mi mujer y colorista Aintzane, sin ella hubiera sido imposible terminar esta misión. A Salva, por su gran paciencia y por meterme en ese tren hacia Mauthausen, por sus palabras de ánimo en todo momento y por presentarme a Boix. A Antoine, por creer en mis páginas y ver más allá de mis primeros trazos. A Julie, por su incansable trabajo y su gran amabilidad. A Rebekah por su gran ayuda con la portada . A Jaime Martín, por cruzar mi camino con el de Salva y Boix. A Josep, por estar siempre que lo he necesitado. A Lou y Veroh por tantos mensajes de whatsapp. A Jordi por estar allí aquel día tan negro. A Javi, por ayudarme siempre que se lo pido. Al grupo de chalados de "Rimbombancias y Monigotes" que me amenizan las horas que paso frente a las páginas. A la familia, porque son imprescindibles. Y gracias a Broncano, Quequé e Ignatius por su locura y risas desde "La vida moderna".

Y a Francisco Boix, al que espero haber homenajeado en cada página como se merece. Ha sido un viaje largo, doloroso pero gratificante.

PEDRO J. COLOMBO

A mis padres por cuidarnos, a mi hermana por hacernos reír y apoyarnos, y a Damian por meternos en la mazmorra del dragón.

A mi marido por sus payasadas que tanto me gustan, su complicidad, su cariño y sacar lo mejor de mí.

A mi familia humana y a la peluda.

Gracias a Salva por creer en nosotros, por fliparse con cada página que veía y animarnos con ello.

AINTZANE LANDA

EL FOTÓGRAFO DE MAUTHAUSEN, de Salva Rubio, Pedro J. Colombo y Aintzane Landa
Título original: *Le photographe de Mauthausen*
Cuarta edición: noviembre de 2020

© 2017, Éditions du Lombard (Dargaud-Lombard, S.A.), by Salva Rubio, Pedro J. Colombo & Aintzane Landa
© 2020, Norma Editorial por la edición en castellano
Passeig de Sant Joan, 7 – 08010 Barcelona
Tel.: 93 303 68 20 – Fax: 93 303 68 31
E-mail: norma@normaeditorial.com

Traducción del dossier histórico: René Parra Lambiés
Rotulación: LimboStudio
ISBN: 978-84-679-3074-0
Depósito legal: B-1330-2018
Impreso en la UE

Facebook: **NormaEditorial**
Twitter: **@NormaEditorial**
Instagram: **norma_editorial**

www.NormaEditorial.com
www.NormaEditorial.com/blog
www.lelombard.com

Consulta los puntos de venta de nuestras publicaciones en www.normaeditorial.com/librerias
Servicio de venta por correo: tel. 93 244 81 25, correo@normaeditorial.com, www.normaeditorial.com/correo

EL FOTÓGRAFO DE
Mauthausen

GUION
SALVA RUBIO

DIBUJO
PEDRO J. COLOMBO

COLOR
AINTZANE LANDA

NORMA
Editorial

LÉXICO

Appellplatz: Plaza donde se hacía formar y se contaba a los prisioneros dos veces al día.

CNT: Confederación Nacional del Trabajo.

CTE: Compañías de Trabajadores Extranjeros.

Erkennungsdienst: Servicio de identificación.

Fallschirmspringerwand o "muro de los paracaidistas": Alto acantilado de 40 metros desde donde se arrojaba a los prisioneros.

Frontstalag (o stalag): Campo reservado a los prisioneros de guerra.

Garagenplatz: Plaza delante del campo principal donde estacionaban los vehículos y tenía lugar la desinfección.

Hauptlager: Campo principal.

Himmlerstraße o Himmlerstrasse: Tonsura en medio del cráneo para identificar desde lejos a los deportados que se habían fugado y humillarlos.

JSU: Juventudes Socialistas Unificadas.

Kapos: Kamerad Polizei o Funktionshäftlinge, presos (delincuentes) comunes encargados de controlar a los demás prisioneros.

Klagemauer: Muro de las lamentaciones, así llamado por los golpes y torturas que allí se infligían a los prisioneros.

Kommando: Grupo de trabajo en el interior de los campos.

Luftwaffe: Ejército del aire alemán.

Nebenlager: Campos anexos dependientes del campo principal.

Oberscharführer: Sargento jefe.

PCE: Partido Comunista de España.

Pochacas o Poschacher: Jóvenes españoles que trabajaban en el Kommando Poschacher (así llamado por la empresa local de granito).

Politische Abteilung: Sección de la Gestapo encargada de la organización del campo.

PSOE: Partido Socialista Obrero Español.

RSHA: Reichssicherheitshautpamt, Oficina Central de Seguridad del Reich.

Schutzhaftlagerführer: SS responsables de los detenidos en los campos.

Spaniaker: Nombre peyorativo dado por los nazis a los españoles en el campo.

SS-Hauptscharführer: Sargento.

Strafkompanie: Grupo de detenidos a los que se confiaban las tareas más duras a fin de matarlos más rápido.

Totenkopf: Insignia de las SS.

Volkssturm: Milicia creada en 1944 por Hitler que reunía a todo hombre considerado útil de entre 16 y 60 años.

Wehrmacht: Ejército alemán.

Wiener Graben: Cantera de granito.

Winkel: Distintivo que todo preso llevaba para clasificarlo; los deportados españoles llevaban un triángulo azul que les marcaba como apátridas.

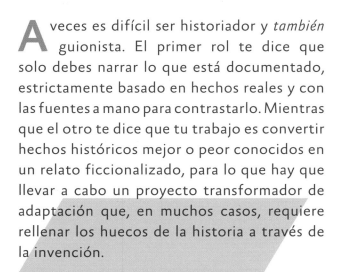

A veces es difícil ser historiador y *también* guionista. El primer rol te dice que solo debes narrar lo que está documentado, estrictamente basado en hechos reales y con las fuentes a mano para contrastarlo. Mientras que el otro te dice que tu trabajo es convertir hechos históricos mejor o peor conocidos en un relato ficcionalizado, para lo que hay que llevar a cabo un proyecto transformador de adaptación que, en muchos casos, requiere rellenar los huecos de la historia a través de la invención.

Esas decisiones son más arduas aún cuando los hechos mencionados están relacionados con un tema tan delicado como los supervivientes de los campos de concentración. Aunque tenemos un gran número de fuentes fiables, historias como esta que contamos también dependen, y mucho, de testimonios no contrastados, narraciones incompletas y recuerdos de hace décadas, que incluso si son fieles tras tantos años, están truncados. En muchos casos ha sido imposible contactar con los supervivientes en cuestión, o tristemente ya no están aquí para contarnos su historia.

En cualquier caso, hemos puesto todo el cuidado posible en discernir entre ambos procesos, para lo cual hemos decidido incluir un epílogo que desarrollará factores que merecen una mayor explicación.

Salva Rubio

INTRODUCCIÓN

*El guion fue revisado por Gregor Holzinger y Ralf Lechner (Archiv der KZ-Gedenkstätte Mauthausen), Margarida Sala (Museu d'Història de Catalunya) y Rosa Torán (Amical de Mauthausen y otros campos); les estoy profundamente agradecido. Sus consejos y correcciones fueron tenidos en cuenta excepto en aquellos lugares donde la adaptación de los hechos fue necesaria.

"Los españoles eran
los más difíciles de matar".

FRANZ ZIEREIS,
COMANDANTE
DE MAUTHAUSEN

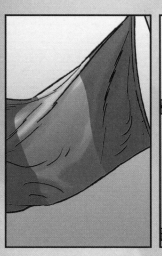

OH, NÚRIA. LLEVAMOS TANTO, TANTO TIEMPO ESPERANDO.

FRONTERA FRANCO-ESPAÑOLA. 1948.

QUERIDA NÚRIA. HAN PASADO CASI DIEZ AÑOS. ES CIERTO QUE HE TARDADO, PERO AQUÍ ESTOY, COMO TE PROMETÍ. ¿CUÁNDO LLEGARÁS? ¿QUIZÁ EN EL AUTOBÚS DE LAS 8:00?

ADUANA - DOUANE

COF, COF.

LE CAFÉ

LE CAFÉ

QUIETA. ¡NO TE MUEVAS!

¡BIEN! AHORA LEVANTA LA BARBILLA. ¡ASÍ! RÁPIDO, LA LUZ NO VA A DURAR. ¡PERFECTO! MIRA HACIA ARRIBA. RELÁJATE, RELÁJATE. ¡ASÍ!

CLICK

CLICK

MAIS... ¿Q-QUIÉN ERES TÚ?

CLICK

PERFECTA. UNA MÁS. ¡SOLO UNA MÁS!

CLICK

BUENO, ¿Y SI AHORA TE INVITO A UN CAFÉ Y NOS CONOCEMOS UN POCO MEJOR?

OH, LALÁ! TODOS SOIS IGUALES...

¡JA, JA! MADEMOISELLE, ESTOY SEGURO DE SER DISTINTO A OTROS HOMBRES QUE CONOCES.

CLARO, POR SUPUESTO, TODOS DICEN LO MISMO. ¿QUÉ TE HACE SER TAN DIFERENTE?

PARA EMPEZAR, SOY UN REPORTERO. Y FUI FOTÓGRAFO EN LA GUERRA. Y SÉ CANTAR Y TOCAR LA GUITARRA. Y SOY TERRIBLEMENTE GUAPO, ¿QUÉ MÁS QUIERES?

PARECE QUE USTED NO SE RINDE, MONSIEUR DIFFÉRENT.

OH, CRÉEME. NUNCA RENUNCIO.

¡JA, JA, JA! ¿CÓMO TE LLAMAS?

VALE, PRESTA ATENCIÓN: SOY FRANCISCO, FRANCESC, FRANZ, FRANCIS, FRANK, FRANÇOIS AND... COF, PACO.

¡JA, JA, JA! TRÈS BIEN.

BON, MONSIEUR FRANCISCO. ¿VAS PARA ESPAÑA?

ME GUSTARÍA, PERO ¡COF!

ME... ME GUSTARÍA. PERO NO, COF. ESTOY ESPERANDO A ALGUIEN.

¿ALGUIEN? QUIZÁ... ¿UNA CHICA?

¡SÍ!

AH, MUY BIEN. Y, ¿ES GUAPA?

MUCHO, COF.

Y ES JOVEN, CLARO.

ALGO MÁS QUE TÚ.

AHÁ. ¿Y TE GUSTA MUCHO?

PUES SÍ, ¡LA QUIERO MÁS QUE A NADA EN EL MUNDO!

E CAFE

TRÈS BIEN. VALE, PUES VETE Y PÁSATELO BIEN CON ELLA. CRETINO.

¡CHICA, NO TE ENFADES! SE LLAMA NÚRIA.

¡ES MI HERMANA!

TU HERM... OH, DISCULPA, FRANCISCO.

YO... ¡SOY MARIANNE! ¿VENDRÁS POR AQUÍ LUEGO CON NÚRIA?

VEREMOS SI...

KOOF KOOF! KOOF

OYE, ¿ESTÁS BIEN?

¿QUE SI ESTABA BIEN?

KOOOF KOF KOF KOOOF KOF KOOOOOO

ESTABA MUCHO MEJOR QUE HACÍA UNOS AÑOS, DESDE LUEGO.

MAUTHAUSEN, AUSTRIA. 27 DE ENERO DE 1941.

CUANDO LLEGAMOS A NUESTRO DESTINO, TRAS CUATRO DÍAS DE VIAJE.

RAUS!!

DESPUÉS DE HUIR DE ESPAÑA, LOS FRANCESES NOS LLEVARON AL CAMPO DE INTERNAMIENTO DE VERNET D'ARIÈGE. UN MAL SITIO.

¿PADRE? ¿DÓNDE ESTAMOS...?

RAUS, ROTEN SPANIER! RAUS!

EN VERNET A LOS FRANCESES NO LES QUEDABA NADA DE LIBERTAD, IGUALDAD Y, ¿QUÉ ERA LO OTRO?

RAUS, ROTEN SPANIER! RAUS!

¡GUAU, GUAU, GUAU!

ICH SAGTE AUS!! ¡HE DICHO QUE FUERA!

PERO SUPONGO QUE ESO ES OTRA HISTORIA.

¡AY! ¡PADRE!

LUEGO NOS LLEVARON A SEPTFONDS, Y NOS ENROLARON «VOLUNTARIA-MENTE» EN LA VIGÉSIMO OCTAVA CTE DEL EJÉRCITO FRANCÉS EN LOS VOSGOS, DONDE NOS ENCONTRARON LOS ALEMANES.

¡EN FILA! ¡TODOS EN PIE, BASURA ROJA, Y OS QUIERO VER FORMANDO UNA COLUMNA DE CINCO FILAS! ¡YA!

¿PADRE? ¡PADRE! ¿DÓNDE ESTÁS?

NOS LLEVARON AL FRONTSTALAG 140 EN BELFORT, Y LUEGO AL STALAG XI-B EN FALLINGBOSTEL.

ERAN DE LA WEHRMACHT Y NOSOTROS, PRISIONEROS DE GUERRA. NO ME PUEDO QUEJAR DEL TRATO. PERO ENTONCES, NOS ENTREGARON A LOS SS.

¡NO, NO!

SHH. TRANQUILO.

¿QUÉ COÑO HACES, NIÑO?

¡VAS A LOGRAR QUE NOS MATEN A TODOS!

¿QUÉ? ¿QUIÉN...?

LO SIENTO MUCHO, PERO YA NO PUEDES HACER NADA, PERMANECE TRANQUILO, Y QUÉDATE CONMIGO.

¡EN MARCHA! ¡AR!

LLEVÁBAMOS CUATRO DÍAS EN ESE VAGÓN, DONDE TANTOS HABÍAN MUERTO.

NO SERÍAN LOS ÚLTIMOS.

NOS LLEVARON HACIA EL PUEBLO DE MAUTHAUSEN EN MEDIO DE LA NOCHE.

ERA IMPOSIBLE QUE SUS HABITANTES NO NOS VIERAN U OYERAN PASAR.

PERO AÚN TENÍAN OTRA COSA MÁS PARA NOSOTROS.

Y NINGUNO DE NOSOTROS OLVIDARÍA LA PRIMERA VEZ QUE LO VIMOS.

KL MAUTHAUSEN.

UN CAMPO DE CATEGORÍA 3, RESERVADO, SEGÚN LA CLASIFICACIÓN DE HEYDRICH, A LOS «IRRECUPERABLES».

SIGNIFICABA QUE NADIE DEBÍA SALIR VIVO DE ALLÍ.

SLAM

NUNCA.

PRIMERO NOS DEJARON UNAS HORAS AL FRÍO. QUIEN SE MOVÍA, IBA AL KLAGEMAUER, EL MURO DE LAS LAMENTACIONES.

EINTRETTEN! ¡A FORMAR!

CONOCIMOS A LOS KAPOS, CRIMINALES COMUNES CONVERTIDOS EN JEFES POR LOS SS. «KING KONG» ERA EL AMO. ADIVINA POR QUÉ SE LLAMABA ASÍ.

¡HE DICHO QUE QUIETO, CUBO DE MIERDA!

ZIEREIS Y BACHMAYER, JEFES DEL CAMPO, TUVIERON UN CÁLIDO MENSAJE DE BIENVENIDA PARA NOSOTROS.

¡HABÉIS ENTRADO POR LA PUERTA... Y SOLO SALDRÉIS POR LA CHIMENEA!

ROJO, VERDE, PÚRPURA Y NARANJA: LOS COLORES DE LA CARNE HUMANA AL QUEMARSE. SI INTENTÁBAMOS OLVIDARLO, EL OLOR NOS LO RECORDARÍA SIEMPRE.

ENTONCES NOS DESINFECTARON Y AFEITARON, ALGO QUE QUEMA, DUELE Y SANGRA MUCHO.

NOS HICIERON LA HIMMLERSTRASSE EN MITAD DEL CRÁNEO...

YA NO ÉRAMOS SERES HUMANOS. YA NO ERA FRANCISCO. ERA EL 5185: FÜNF, EINS, ACHT, FÜNF.

¡HE DICHO QUE A FORMAR, ROJOS DE MIERDA!

NOS DIERON UN «WINKEL» ESPECIAL: TRIÁNGULO AZUL CON UNA «S» BLANCA. ÉRAMOS UNA IRONÍA: ESPAÑOLES APÁTRIDAS.

EN LAS BARRACAS, ÉRAMOS OCHOCIENTOS EN UN ESPACIO PARA TRESCIENTOS. SIN ESTUFAS, MANTAS O SÁBANAS, Y CON LAS VENTANAS ABIERTAS.

RUHE! ¡SILENCIO!

ESA NOCHE, ME PROMETÍ QUE MATEU Y YO SALDRÍAMOS VIVOS DEL CAMPO, Y QUE VIVIRÍA PARA VERTE DE NUEVO, NÚRIA. PASASE LO QUE PASASE.

AL DÍA SIGUIENTE, NOS PUSIERON A TRABAJAR. APRENDÍ ALEMÁN EN EL STALAG, ASÍ QUE PROBÉ COMO TRADUCTOR.

ICH BIN FRANZ. JE SUIS FRANÇOIS. I AM FRANK. SÓC FRANCESC. SOY FRANCISCO BOIX. 5185.

MI PROMESA NO COMENZABA MUY BIEN: PRONTO ME SEPARARON DE MATEU.

MI TRABAJO TAMPOCO COMENZABA BIEN. ME LLEVARON A LA CANTERA DE GRANITO LOCAL, LA WIENERGRABEN.

CIENTO OCHENTA Y SEIS ESCALONES HECHOS POR LOS PRIMEROS ESPAÑOLES EN LLEGAR, Y HOGAR DE STRAFKOMPANIE: LOS CONDENADOS A MORIR DE AGOTAMIENTO SUBIENDO PIEDRA.

ERA EL REINO DE SPATZENEGGER, UN ANTIGUO OBRERO DEL METAL APODADO «SPATZ», AL QUE LLAMÁBAMOS «EL VAMPIRO», POR SU CARA Y SU SED DE SANGRE HUMANA.

TAMBIÉN ESTABA ALLÍ LA «ROCA TARPEYA» O «MURO DE LOS PARACAIDISTAS». CUARENTA METROS DE CAÍDA DONDE MUCHOS ERAN EMPUJADOS CADA DÍA.

OTROS SE TIRABAN POR PURA DESESPERACIÓN.

MI TRABAJO ERA TRADUCIR LOS INSULTOS QUE LOS ALEMANES DECÍAN A LOS ESPAÑOLES. NO ME GUSTABA HACERLO, ASÍ QUE TRADUCÍA A MI MANERA.

¡DILE QUE ES UN ROJO ASQUEROSO! ¡LEVANTA Y TRABAJA O TE REVENTARÉ A PATADAS!

¡TRADUCE!

¡VENGA, HOMBRE! LEVANTA O EL CABRÓN ESTE TE VA A JODER, PERO BIEN. ¡ÁNIMO!

A VECES, ESTABAN DEMASIADO ENFERMOS PARA SEGUIR Y NO PODÍA HACER NADA POR ELLOS.

BANG!

EN AUSCHWITZ USABAN GAS. EN MAUTHAUSEN, EL TÉRMINO ERA «EXTERMINIO A TRAVÉS DEL TRABAJO».

QUERÍA AYUDAR A MIS COMPATRIOTAS, PERO TENÍA QUE SALIR DE LA CANTERA O MORIRÍA EN CUALQUIER MOMENTO.

Y UN DÍA, ALGO OCURRIÓ.

SPANJAKER!

¡ME TIENES HARTO! ¡NO ERES MÁS QUE UN VAGO!

NO SÉ POR QUÉ ME ATREVÍ. PERO NO PODÍA QUEDARME QUIETO.

ASQUEROSO MONTÓN DE...

¿PERO QUÉ...?

¡VAMOS! ¡LEVANTA, HOMBRE!

PERO, PERO, ¿QUÉ...?

¿ME ESTÁS OYENDO? VOY A CUBRIRTE. ¡LEVANTA O NOS MATARÁ A LOS DOS!

ES QUE NO, FRANCESC, NO PUEDO MÁS...

WAS IST LOS?

¡ESCUCHA! ¡MEJOR UN PUÑO QUE UNA BALA, ¿NO?!

¡V-VALE, ADELANTE!

¡PERDONA!

ESTOS ESPAÑOLES... NO TIENEN REMEDIO.

CASI... ME MATA. MUCHAS GRACIAS...

DE NADA.

¡VOSOTROS DOS! ¡A TRABAJAR! O SI NO...

PSST. OYE, TÚ. ESPE-RA. COGE UN CANTO.

¿ERES ANARQUISTA? ¿O COMUNISTA?

COMUNISTA. DE LAS JSU DE BARCELONA.

BIEN. VEN CONMIGO.

YO TAMBIÉN SOY DEL PARTIDO. NOS HEMOS ORGANIZADO EN EL CAMPO PRINCIPAL. BARRACA 2.

¿QUÉ TIENE ESO QUE VER CONMIGO?

HE VISTO LO QU ACABAS DE HACE NECESITAMOS HOMBRES COMO TÚ. ¿QUÉ SABE HACER?

SOY FOTÓGRAFO, PERO...

VERÉ QUÉ PUEDO HACER.

¡ESPERA! NO ESTOY SEGURO DE QUERER...

NO TIENES ELECCIÓN.

PERO ES QUE NO SÉ SI...

ÓRDENES DEL PARTIDO, ¿VALE?

ASÍ QUE... NO TENGO ELECCIÓN.

NINGUNO DE NOSOTROS LA TIENE.

ERA VERDAD.

NINGUNO TENÍA ELECCIÓN ALGUNA.

NI LA MÁS MÍNIMA OPORTUNIDAD.

UNOS DÍAS MÁS TARDE, FUI TRANSFERIDO A LA BARRACA 2.

ALLÍ VIVÍAN LOS «PROMINENTEN», PRISIONEROS CON TRABAJOS CUALIFICADOS: SECRETARIOS, BARBEROS, COCINEROS, TÉCNICOS...

HABÍA MUCHOS ESPAÑOLES: COMO LLEGAMOS TAN PRONTO AL CAMPO, TOMAMOS ESTOS PUESTOS.

Y PUDIMOS ENCHUFAR A OTROS ESPAÑOLES.

TAMBIÉN ERA EL CUARTEL GENERAL SECRETO DEL PARTIDO COMUNISTA. ALLÍ CONOCÍ A CARLOS, JEFE DE LA ORGANIZACIÓN.

BIENVENIDO A LA BARRACA 2, CAMARADA CATALÁN.

LA MORAL ERA MÁS ALTA, Y «ORGANIZABAN» (ROBABAN) MUCHA COMIDA. ESTABAN CONVENCIDOS DE PODER SOBREVIVIR.

RESPETABAN LAS NORMAS, PERO USABAN LA CORRUPCIÓN REINANTE PARA HACER FAVORES Y SITUAR A ESPAÑOLES EN POSICIONES CLAVE.

Y LO MÁS IMPORTANTE: REÍAN, CANTABAN Y BROMEABAN COMO SOLO LO HACEN LOS ESPAÑOLES. DE NUEVO, TENÍA UN FUTURO. ERA FRANCISCO DE NUEVO.

ADEMÁS, ME DIERON UNO DE ESOS PUESTOS PRIVILEGIADOS EN EL *ERKENNUNGSDIENST*, O SERVICIO DE IDENTIFICACIÓN.

ESO QUERÍA DECIR QUE VOLVÍA A SER UN FOTÓGRAFO.

ALLÍ CONOCÍ A ROVIRA, UN ANDALUZ, ANTIGUO CÓMICO Y BAILAOR DE FLAMENCO: EL TIPO MÁS VALIENTE, ALEGRE Y DIVERTIDO QUE ENCONTRÉ.

PACO, APUESTO A QUE ERES UN MISERABLE MENTIROSO Y NO HAS TOCADO UNA CÁMARA DE FOTOS EN TU VIDA.

¡AH! ASÍ QUE ESA ES TU EXCUSA PARA TRABAJAR AQUÍ, ¿EH?

¡JA, JA! ME HAS PILLADO. ANDA, VEN, QUE TE ENSEÑO EL LABORATORIO.

EL SERVICIO DE IDENTIFICACIÓN ERA MUCHO MÁS QUE UN LABORATORIO FOTOGRÁFICO.

DEPENDÍA DE LA GESTAPO, Y OFICIALMENTE, ERA EL LUGAR DONDE SE IDENTIFICABA A LOS PRISIONEROS A SU LLEGADA AL CAMPO.

LOS SS LO USABAN, DE FORMA MENOS OFICIAL, PARA HACERSE FOTOS Y ENVIÁRSELAS A SUS NOVIAS.

Y EN ESTA FORMA MENOR DE CORRUPCIÓN, TAMBIÉN SE TOMABAN FOTOS MÁS PRIVADAS Y LOS PRISIONEROS LAS REVELABAN.

PERO TAMBIÉN SE USABAN PARA HACER PROPAGANDA.

ESTOS MONTAJES SE USABAN PARA CONTAR AL MUNDO UNA REALIDAD MUY DIFERENTE A LA VERDADERA.

USABAN ESTAS FOTOS EN FOLLETOS PARA OFRECERNOS A FÁBRICAS Y CANTERAS COMO MANO DE OBRA ESCLAVA, Y SE HACÍAN RICOS CON ELLO.

NADIE TORTURABA O MATABA A ESTOS FALSOS PRESOS; PARECÍAN FELICES Y BIEN ALIMENTADOS. TAN LEJOS DE LA VERDAD. TAN LEJOS.

CONOCÍ A ALGUIEN MÁS EN EL ERKENNUNGSDIENST.

HOLA, SOY FRANCESC, EL NUEVO...

5185, ESPERO QUE AL MENOS SEPAS CÓMO REVELAR UN CARRETE.

POR SUPUESTO, PERO...

PUES A TRABAJAR AL CUARTO OSCURO, YA.

MORENO ERA UN HOMBRE EXTRAÑO. SILENCIOSO, INFELIZ, ALGUNOS DECÍAN QUE SIEMPRE ASUSTADO.

SIEMPRE ESTABA SOLO. SIEMPRE TRABAJANDO, NO PARECÍA VIVIR PARA OTRA COSA.

PERO HUBO ALGO MÁS QUE NOTÉ MUY PRONTO: QUE MORENO SE OCUPABA DE ALGO UN TANTO SOSPECHOSO.

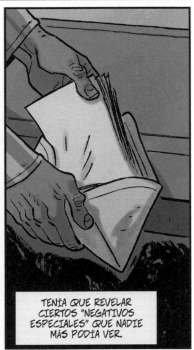

TENÍA QUE REVELAR CIERTOS "NEGATIVOS ESPECIALES" QUE NADIE MÁS PODÍA VER.

POR FIN, CONOCÍ AL RESPONSABLE DEL ERKENNUNGSDIENST.

¿ERES EL 5185?

PAUL RICKEN, UN ANTIGUO PROFESOR DE SECUNDARIA QUE SABÍA ALGO DE FOTOGRAFÍA.

CREO QUE ESTO ES TU TRABAJO.

JA WOHL, OBER-SCHARFÜHRER.

ERES DEMA-SIADO BUENO.

¿PERDÓN, OBER-SCHARFÜHRER?

COMPARADO CON OTROS SS CASI ANALFABETOS, ERA UN HOMBRE CULTIVADO, Y DECÍA SER UN EXPERTO EN TEORÍA DEL ARTE.

LOS DEMÁS SON UNOS SIMPLES AFI-CIONADOS. ¿ERES UN PROFESIONAL?

COMENCÉ DE CHICO AYUDANDO A MI PADRE. LUEGO, TRA-BAJÉ ALGUNOS AÑOS PARA UN PERIÓDICO, OBERSCHARFÜHRER.

¿HAS MANEJADO ALGUNA LEICA?

UNA VEZ ME PRESTARON UNA. SON FÁCILES DE USAR.

¿ESTÁS FAMILIARIZADO CON NUESTROS EQUI-POS DE REVELADO?

CREO QUE LES ESTOY COGIENDO EL TRANQUILLO.

BIEN.

MUY BIEN.

NO SABÍA QUÉ PENSAR.

ERA UN HOMBRE MISTE-RIOSO Y OBSESIVO. ALGUNOS DECÍAN QUE ERA INTRATABLE, INTOLE-RANTE, MUY DIFÍCIL DE SOPORTAR. PERO DE ALGUNA MANERA, PARE-CÍA INTERESADO EN MÍ.

VIGILARÉ TU TRABAJO. SIGUE MEJORANDO. PUEDE QUE TENGA ALGO PARA TI.

INFORMÉ A CARLOS DE LA SITUACIÓN EN EL LABORATORIO: A ÉL TAMBIÉN LE INTRIGABA.

ES TODO MUY RARO. NO SÉ SI DEBERÍAMOS PREOCUPARNOS, QUIZÁ SEA UNA TONTERÍA...

...PERO ÉCHALE UN OJO A MORENO. NO ES DE CONFIANZA. DICEN QUE ES UN COBARDE.

NUNCA HABLA CON NADIE. SE PASA EL DÍA TRABAJANDO SIN DESCANSO EN ESOS CARRETES.

A VER DE QUÉ TE PUEDES ENTERAR.

UN PAR DE DÍAS DESPUÉS, SE PRESENTÓ LA OCASIÓN.

TENÍA QUE DESCUBRIR QUÉ ESCONDÍA MORENO Y CÓMO NOS AFECTABA.

PERO NUNCA ME HUBIESE IMAGINADO ALGO ASÍ.

INTENTABA RECORDAR POR QUÉ HABÍA ELEGIDO LA FOTOGRAFÍA COMO PROFESIÓN.

CLARO, LA FOTOGRAFÍA ERA ALGO QUE ME DIVERTÍA DE CHICO.

PERO CUANDO LOS FASCISTAS SE SUBLEVARON EN ESPAÑA, FOTOGRAFIÉ A GENTE QUE LUCHABA POR SUS IDEALES Y MORÍA POR LA LIBERTAD DE OTROS. ESA FUE LA VERDAD QUE YO VI Y FOTOGRAFIÉ.

ESAS FOTOGRAFÍAS CONTABAN LA VERDAD, SÍ. Y ADEMÁS, ESOS MUERTOS VIVIRÍAN PARA SIEMPRE EN MIS INSTANTÁNEAS.

¡ROMPAN FILAS! ¡A LAS BARRACAS, ESCORIA!

PERO EN MAUTHAUSEN, LA FOTOGRAFÍA ERA UNA MENTIRA. TAMPOCO MORÍAMOS POR NUESTROS IDEALES. MORÍAMOS PORQUE NO ÉRAMOS NADA.

NI SIQUIERA NOMBRES DE LOS QUE QUEDASEN RECUERDOS. ESTÁBAMOS CONDENADOS AL MÁS TERRIBLE OLVIDO. PERO UNA SOLA FOTO PODRÍA HACERNOS VIVIR PARA SIEMPRE.

UNA FOTO TE PUEDE DAR LA INMORTALIDAD. INCLUSO MURIENDO EN MAUTHAUSEN.

PERO TENÍA QUE PENSARLO BIEN: ERA UN PRESO PRIVILEGIADO. PODÍA NO HACER NADA Y QUIZÁ SOBREVIVIRÍA A LA GUERRA.

PERO ESO CONVERTIRÍA MI VIDA EN UNA MENTIRA. Y SE ME OCURRIÓ QUE MERECÍA LA PENA MORIR POR LA VERDAD.

HABÍA TOMADO UNA DECISIÓN.

ASÍ QUE TUVIMOS UN DÍA ENTERO PARA HABLAR, PLANIFICAR Y CONSPIRAR. Y ESE DÍA CAMBIÓ NUESTRAS VIDAS.

NO PODEMOS CONFIAR EN ÉL. SOLO UN PUÑADO DE NOSOTROS SABRÁN ALGO DEL PLAN.

VALE, LA TEORÍA ESTÁ BIEN. PERO, ¿QUÉ OCURRIRÁ SI OS PILLAN?

LO SABES BIEN. MUCHOS DE NOSOTROS MORIRÍAMOS. QUIZÁ TODOS. Y PERDERÍAMOS NUESTROS PRIVILEGIOS. ¿QUÉ DICES A ESO, CATALÁN?

POR ESO PIDO PERMISO AL PARTIDO. CREO QUE SI TAN SOLO UNO DE NOSOTROS SOBREVIVE PARA LLEVAR ESAS FOTOS A MOSCÚ, PARA DARLAS A CONOCER... MERECERÍA LA PENA.

HE PENSADO EN LOS RIESGOS. PERO MIRA A TU ALREDEDOR. YA ESTAMOS MUERTOS.

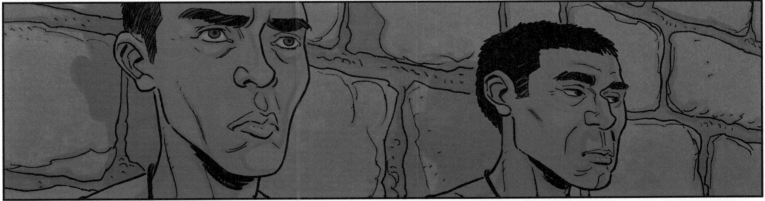

LAS ÓRDENES DEL PARTIDO Y DE LA CAUSA COMUNISTA SON RESISTIR Y COMBATIR AL ENEMIGO DE CUALQUIER MANERA QUE PODAMOS ENCONTRAR. TIENES PERMISO DEL PARTIDO.

PERO GUARDA SILENCIO. NO ES BUENO QUE MUCHOS SEPAN DE ESTO. DEMASIADO ARRIESGADO.

LO SABÍA MUY BIEN. PERO TENÍA QUE HACERLO.

¿QUÉ QUIERE DECIR ESTO? ¿POR QUÉ ME REEMPLAZAS?

¿Y YO QUÉ SÉ? PREGÚNTALE A RICKEN.

¡ESTO ES MUY RARO! TENGO LA CONFIANZA DE HERR RICKEN. ¿A QUIÉN HAS SOBORNADO PARA QUITARME EL PUESTO, GILIPOLLAS?

RASH

TE DIGO QUE NO SÉ DE QUÉ ME HABLAS...

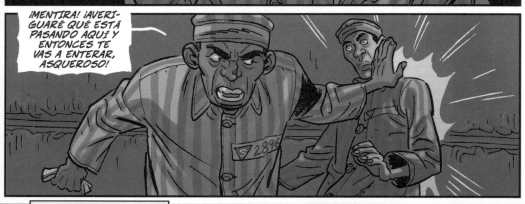

¡MENTIRA! ¡AVERIGUARÉ QUÉ ESTÁ PASANDO AQUÍ Y ENTONCES TE VAS A ENTERAR, ASQUEROSO!

LA VERDAD ERA QUE ALGUNAS PERSONAS CON CIERTA INFLUENCIA NOS DEBÍAN ALGUNOS FAVORES.

NECESITABA EL PUESTO DE MORENO, Y PREFERÍAMOS TENERLE LEJOS DE ALLÍ.

CONTINUARÁS CON TUS LABORES COTIDIANAS, PERO ADEMÁS A PARTIR DE AHORA SE TE PODRÁ LLAMAR A CUALQUIER HORA DEL DÍA O LA NOCHE.

SÍ, SEÑOR.

TU TRABAJO CONSISTIRÁ EN LLEVAR EL EQUIPO, MONTAR LAS LUCES Y REVELAR LAS PELÍCULAS QUE YO TOME, MANTENIENDO UN SECRETO ABSOLUTO SOBRE TODO LO QUE VEAS, ¿ENTENDIDO?

JA WOHL, MEIN OBERSCHARFÜHRER.

ESPERO QUE SEAS MERECEDOR DE MI CONFIANZA. O ALGÚN DÍA ESTARÁS FRENTE A MI LENTE.

YO TODAVÍA NO SABÍA LO CIERTAS QUE ERAN ESAS PALABRAS.

EL PLAN HABÍA COMENZADO. PERO TAMBIÉN LAS PESADILLAS QUE ME ACOMPAÑARÍAN EL RESTO DE MI VIDA.

IBA A DESCUBRIR LA VERDAD TRAS LAS MENTIRAS MÁS NEGRAS DE LOS NAZIS.

IBA A DESCENDER A LOS MÁS PROFUNDOS HORRORES DE MAUTHAUSEN.

MI PRIMER ENCARGO FUE ASISTIR A RICKEN EN LA ENFERMERÍA. LA CAUSA OFICIAL DE LA MUERTE FUE «FALLO CARDÍACO».

EN REALIDAD, LE HABÍAN PUESTO UNA INYECCIÓN DE GASOLINA EN EL CORAZÓN, COMO A TANTOS OTROS CADA DÍA.

A LOS DOCTORES HEIM Y KREBSBACH LES GUSTABA EXPERIMENTAR.

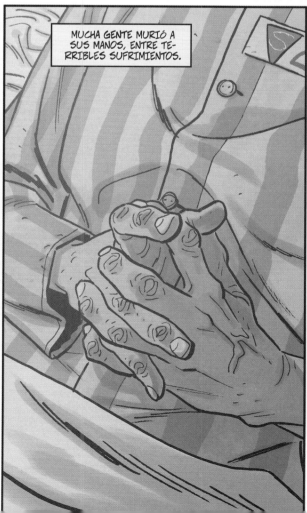

MUCHA GENTE MURIÓ A SUS MANOS, ENTRE TERRIBLES SUFRIMIENTOS.

RICKEN SE TOMABA SU TIEMPO PARA SACAR LAS FOTOS. QUERÍA QUE SALIESEN PERFECTAS.

OTRAS VECES, LES VEÍAMOS MORIR.

BLAM BLAM BLAM BLAM BLAM

A VECES, LES PEGABAN UN TIRO POR CUALQUIER ACUSACIÓN FALSA, DESPUÉS DE HABERSE RESISTIDO A QUE LOS VIOLASE UN KAPO.

A VECES, LES COLGABAN POR ROBAR UNA PATATA.

Y OTRAS VECES, LES DABAN DIEZ MINUTOS PARA COLGARSE...

...O LES MATARÍAN A PALOS.

ALGUIEN LLEGÓ A CONTAR TREINTA Y CINCO MANERAS DE MORIR EN MAUTHAUSEN. ACABÉ CONOCIÉNDOLAS MUY BIEN.

LOGRÉ ALGUNAS COSAS CON TODO ESTO: AHORA CONOCÍA CASI CADA PALMO DEL CAMPO.

GUARDIAS Y KAPOS ME CONOCÍAN DE VERME CON RICKEN, ASÍ QUE TENÍA UNA CIERTA LIBERTAD PARA MOVERME POR EL CAMPO.

TENDRÍA QUE VER A CIENTOS, MILES DE MUERTOS, ALGUNOS DE ELLOS, COMPATRIOTAS Y AMIGOS.

PERO AL MENOS, TENÍA ALGO MUY CLARO: SUS VIDAS NO SE HABÍAN PERDIDO DEL TODO.

TENÍAMOS UNA OPORTUNIDAD PARA HACERLES VIVIR PARA SIEMPRE.

CLICK

Y TENÍAMOS ALGO CONTRA TODAS LAS MENTIRAS DE LOS NAZIS.

TENÍAMOS LA VERDAD.

CONFORME A MI PLAN, EL ROBO DEBÍA COMENZAR.

LAS FOTOS SALÍAN DEL ARCHIVO.

ERA LA ÚNICA HABITACIÓN DEL LABORATORIO QUE TENÍA UNA APERTURA DE VENTILACIÓN.

TIK-TAK TIK-TAK TIK-TAK

LA COORDINACIÓN ERA MUY IMPORTANTE.

TENÍA QUE SER PERFECTA.

EL PRIMERO EN RECOGER EL PAQUETE SERÍA BENITO.

ERA EL ENCARGADO DE RECOGER LOS SACOS DE LA LAVANDERÍA AL FINAL DE CADA JORNADA.

LA LAVANDERÍA ERA LA PRIMERA PARADA, ERA UN LUGAR SEGURO. OLÍA TAN MAL A DESINFECTANTE Y QUÍMICOS QUE NINGÚN SS BAJABA NUNCA.

TAMBIÉN CORRÍAN EL RIESGO DE COGER PIOJOS O DISENTERÍA.

PERO TAMPOCO ERA EL LUGAR MÁS SEGURO, Y ADEMÁS ERA DEMASIADO HÚMEDO. NECESITÁBAMOS ALGO MEJOR.

Y CADA NUEVO TRANSPORTE ERA, POR SUPUESTO, MUY PELIGROSO.

ENTONCES VENÍA LA SIGUIENTE PARADA.

EL TEMIDO CREMATORIO, ADONDE LOS SS TRATABAN IGUALMENTE DE NO BAJAR.

PRISCILIANO TENÍA QUE RECOGER LOS UNIFORMES DE LOS MUERTOS PARA DESINFECTARLOS.

Y ASÍ, JOSÉ GUARDARÍA LOS NEGATIVOS DURANTE TODA LA NOCHE.

MIENTRAS LOS HORNOS ARDÍAN...

...Y MILES DE HOMBRES SOLO DEJABAN CENIZAS TRAS DE SÍ.

POR LA MAÑANA, ANTES DE TERMINAR SU TURNO, JOSEP TENÍA QUE PEDIR PERMISO PARA ABANDONAR SU PUESTO.

PERO ANTES DE IRSE, DEBÍA REALIZAR UNA ÚLTIMA TAREA.

TENÍA QUE PASARSE POR LA CARPINTERÍA, A RECOGER ASTILLAS Y VIRUTAS PARA EL FUEGO.

LA CARPINTERÍA ERA EL MEJOR LUGAR PARA ESCONDER EL PAQUETE.

DECENAS DE LUGARES EN QUE ESCONDER LOS NEGATIVOS. HERRAMIENTAS PARA ELABORAR CUALQUIER ESCONDITE... Y RUIDO PARA TAPARLO TODO.

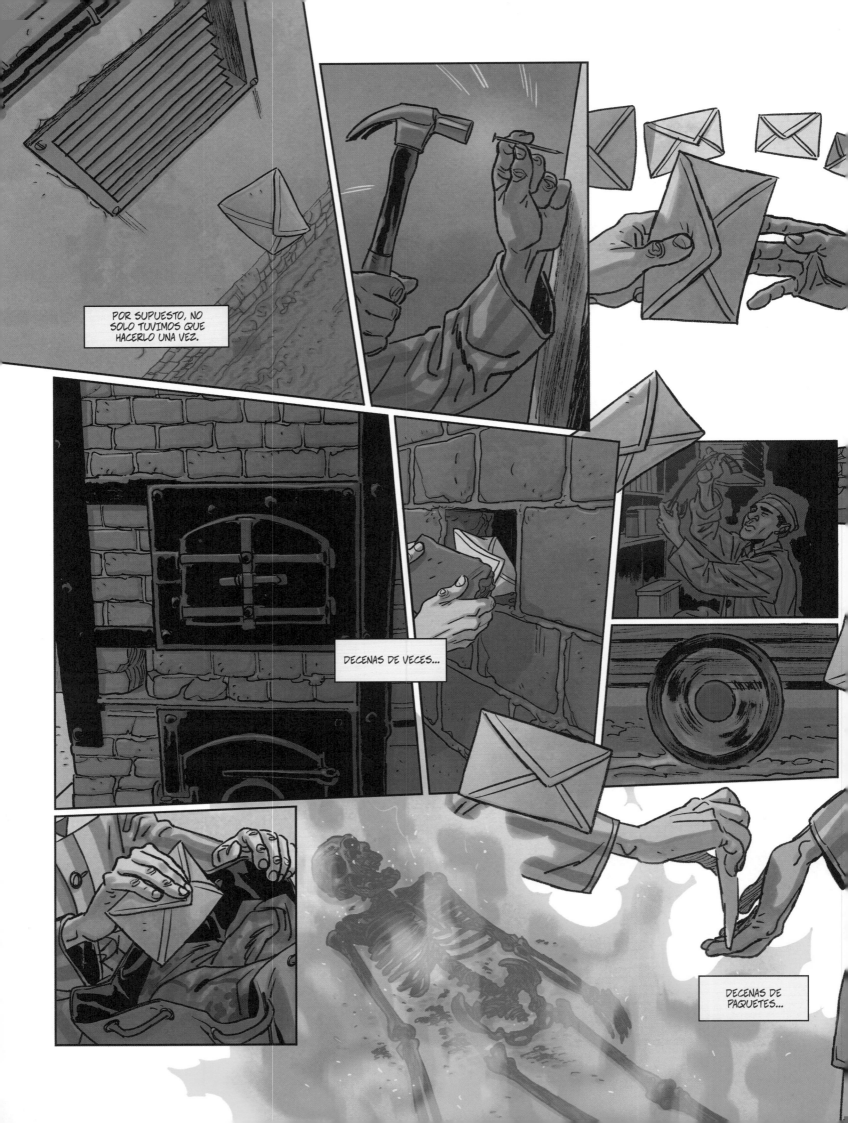

MILES DE PRESOS MUERTOS...

CIENTOS DE NEGATIVOS...

EL PLAN FUNCIONABA.

SÉ LO QUE ESTÁIS HACIENDO CON LAS FOTOS. ¿ESTÁIS LOCOS? ¿QUERÉIS MATARNOS A TODOS?

MIRA, NO ES DE TU INCUMBENCIA. CÁLLATE Y OLVÍDATE DE...

¿CÓMO QUE NO ES ASUNTO MÍO? SI SE ENTERAN DE LO QUE ESTÁIS HACIENDO...

TE LO ADVIERTO, OLVÍDATE DE ESTO Y...

¡NO LO ENTIENDES; NO PUEDO OLVIDARME! ES MI TRABAJO. ¡SI OS DESCUBREN, ME MATARÁN TAMBIÉN!

ESTA ES UNA OPERACIÓN DE RESISTENCIA COLECTIVA AUTORIZADA POR EL PARTIDO COMUNISTA. ¡NO PODEMOS QUEDARNOS QUIETOS MIENTRAS NOS MATAN! ¡EL MUNDO DEBE SABER LO QUE OCURRE! ¡ES NUESTRA RESPONSABILIDAD!

¡NUESTRA RESPONSABILIDAD ES SOBREVIVIR! ¡SOMOS UNOS PRIVILEGIADOS! ¡SI CERRAMOS LA BOCA Y NOS PORTAMOS BIEN, VEREMOS EL FIN DE LA GUERRA!

¿«PORTARNOS BIEN»? QUIERES DECIR «SI COLABORAMOS».

¡TÚ... TÚ TAMBIÉN COLABORAS! ¡SOLO CON OBEDECER SUS ÓRDENES ESTÁS COLABORANDO! ¡NO PODEMOS...!

LO QUE PASA ES QUE ERES UN COBARDE DE MIERDA.

SOLO QUIERO SOBREVIVIR. ES MI DERECHO. ASÍ QUE VAIS A PARAR LO QUE ESTÁIS HACIENDO O TENDRÉ QUE INFORMAR A HERR RICKEN DE QUE...

HAZLO. Y TE ENFRENTARÁS A LA «JUSTICIA INTERNA».

NO PUEDES HABLAR EN SERIO.

ABSOLUTAMENTE EN SERIO.

ESTO...

ESTO NO ACABA AQUÍ.

TENÍA RAZÓN AL ESTAR ASUSTADO. CLARO QUE ESTÁBAMOS CORRIENDO UN RIESGO ENORME. ¡PERO TENÍAMOS QUE HACERLO! ¡ESTÁBAMOS EN GUERRA, JODER!

Y ASÍ, EL ROBO CONTINUÓ DURANTE SEMANAS... Y MESES.

ENCONTRAMOS NUEVAS MANERAS DE TRANSPORTAR LOS PAQUETES...

...Y NUEVOS ESCONDRIJOS SEGUROS.

LO HICIMOS EN MÁS DE TREINTA OCASIONES.

PERO... TENÍAMOS UN PROBLEMA. HABÍA MUCHAS FOTOS QUE MOSTRABAN CÓMO MORÍAN LOS PRESOS.

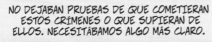

PERO POR SUPUESTO, NO TENÍAMOS FOTOS DE LOS NAZIS MATANDO.

NO DEJABAN PRUEBAS DE QUE COMETIERAN ESTOS CRÍMENES O QUE SUPIERAN DE ELLOS. NECESITÁBAMOS ALGO MÁS CLARO.

Y UN DÍA, LA OCASIÓN SE PRESENTÓ SOLA.

CLICK

EL MISMÍSIMO HIMMLER.

INCLUSO VISITARON LA CANTERA, DONDE VIERON Y APROBARON LO QUE ALLÍ PASABA.

CON ELLOS, VINIERON TAMBIÉN ALGUNOS CIVILES DEL PUEBLO DE MAUTHAUSEN, MOSTRANDO QUE SABÍAN BIEN LO QUE OCURRÍA ALLÍ.

RICKEN TRABAJÓ DURO ESE DÍA. Y YO ME ASEGURÉ DE UTILIZAR MI MEJOR TÉCNICA CON ESAS FOTOS. PODRÍAMOS NECESITARLAS ALGÚN DÍA.

LA MANO DERECHA DE HITLER HABÍA VENIDO A INSPECCIONAR EL CAMPO.

POR SUPUESTO, BACHMAYER Y ZIEREIS ESTABAN CONTENTOS; EL CAMPO FUNCIONABA AL MÁXIMO DE SU CAPACIDAD DE PRODUCCIÓN.

PERO ESO NO ERA TODO. VENÍA BIEN ACOMPAÑADO.

KALTENBRUNNER, EL SUSTITUTO DE HEYDRICH EN LA RSHA. EL HOMBRE A CARGO DE TODAS LAS POLÍTICAS DE LOS CAMPOS DE CONCENTRACIÓN.

ES DECIR, EL HOMBRE RESPONSABLE DE TODAS LAS DEPORTACIONES HACIA LOS CAMPOS DE CONCENTRACIÓN.

HIMMLER INCLUSO LE DIO UNA PIEDRA A UN PRISIONERO PARA QUE LA LLEVASE FRENTE A ÉL, ENTRE RISAS.

CÓMO DESEÉ QUE ALGÚN DÍA SUBIERAN LAS ESCALERAS PARA COLGAR EN UN PATÍBULO.

CLACK

NUESTRO PLAN HABÍA SIDO UN ÉXITO.

Y POR SUPUESTO, FUE ENTONCES CUANDO TODO SE FUE AL INFIERNO. Y YO TAMBIÉN.

¡DEBERÍAMOS HABER SIDO INFORMADOS!

¡NUESTRAS VIDAS SE HAN ARRIESGADO SIN QUE SIQUIERA SE NOS PREGUNTARA!

¡UN PLAN TAN PELIGROSO DEBERÍA HABER SIDO VOTADO EN ASAMBLEA!

¡EXIGIMOS QUE LOS ROBOS PAREN YA!

SE HABÍA CORRIDO LA VOZ, Y TODO EL MUNDO EN LA BARRACA 2 SABÍA LO QUE ESTÁBAMOS HACIENDO.

ESTABA COMPLETAMENTE SOLO. HUBO DECLARACIONES.

OBEDECERÉ CUALQUIER ORDEN DEL PARTIDO. PERO NO QUIERO ACABAR COMO JOSEP.

LOS DEL CREMATORIO YA SABEMOS DEMASIADO. NO NOS SENTIMOS SEGUROS, Y NO QUEREMOS TOMAR PARTE EN ESTO.

CUALQUIER INSPECCIÓN ATENTA DESCUBRIRÁ LOS ESCONDRIJOS. HAY DEMASIADOS EN NUESTRA BARRACA. PODEMOS SER DESCUBIERTOS EN CUALQUIER MOMENTO.

SOLO ROVIRA ME APOYÓ.

LO QUE HEMOS LOGRADO ES UN TRIUNFO. QUIZÁ TENGAMOS QUE PARAR, PERO CREO QUE DEBEMOS CONSERVAR LAS FOTOS A CUALQUIER PRECIO.

LOS NAZIS ESTÁN NERVIOSOS. LA GUERRA NO VA BIEN PARA ELLOS. ¿HABÉIS VISTO CÓMO TRATAN A LOS JUDÍOS?

LOS MATAN SEGÚN LLEGAN, NI SIQUIERA LES FICHAN. ¡NO SE LO PENSARÁN DOS VECES CON NOSOTROS!

LAS COSAS VAN A PONERSE PEOR. TENEMOS QUE SER DISCRETOS. TENEMOS SUFICIENTES POSICIONES ESTRATÉGICAS EN EL CAMPO PARA RESISTIR SI LLEGA EL MOMENTO.

¿SOBREVIVIR? ¡TENEMOS QUE LUCHAR! ESAS SON LAS ÓRDENES DEL PARTIDO. ¡NECESITAMOS LLEVAR ESAS FOTOS A MOSCÚ! ¡ES NUESTRA ÚNICA MANERA DE COMBATIR! ¡ESTAMOS EN GUERRA CON LOS NAZIS!

¡NO QUEDARÁ NADIE PARA LLEVAR LOS MALDITOS NEGATIVOS A MOSCÚ SI NOS EXTERMINAN!

¡DEBEMOS QUEMARLOS AHORA!

VALE. VALE. ¡SE ACABÓ!

HEMOS ESCUCHADO A TODAS LAS PARTES. EL COMITÉ OS COMUNICARÁ NUESTRA DECISIÓN EN UNOS DÍAS.

NO PODÍA CREERLO.

TODO IBA A SER PARA NADA. O AÚN PEOR.

CREÍ QUE EL PARTIDO...

POR FAVOR, ENTIÉNDELO. LOS NAZIS PODRÍAN PERDER LA GUERRA. ESO ES BUENO PARA NOSOTROS. NO PODEMOS ARRIESGARNOS.

ENTIENDO. CLARO. CÓMO NO.

LO SIENTO, FRANCESC. MANTENDRÁS TU POSICIÓN. A RICKEN LE GUSTA TU TRABAJO. PERO DAME PRONTO UNA SOLUCIÓN PARA LOS NEGATIVOS, ¿VALE?

PERO NO ERA TAN FÁCIL. ESTABAN MATANDO A MUCHOS MÁS PRISIONEROS, Y USABA MI TIEMPO EN AYUDAR A RICKEN.

Y PARA COLMO, ME ESTIMABA CADA VEZ MÁS. ME HACÍA ESCUCHAR DURANTE HORAS SUS DISCURSOS TEÓRICOS SOBRE EL ARTE, LA MUERTE Y OTRAS SANDECES.

ESTABA ATADO DE PIES Y MANOS.

DECIDÍ QUE SOLO PODÍA CONFIAR EN ROVIRA. ME HABÍA APOYADO PÚBLICAMENTE, POR LO QUE DECIDIMOS SEGUIR ADELANTE CON EL PLAN, INCLUSO SI LO HACÍAMOS TODO SOLOS.

ESCONDERÍAMOS LOS NUEVOS NEGATIVOS EN EL LABORATORIO. ASÍ LOGRARÍAMOS GANAR ALGO DE TIEMPO. PERO ESTE SE NOS AGOTABA.

ERA VERDAD QUE LA GUERRA IBA MAL PARA LOS NAZIS. PERO ESO NO QUERÍA DECIR QUE FUERA BIEN PARA NOSOTROS.

EL CAMPO SE ESTABA QUEDANDO PEQUEÑO PARA LOS PRISIONEROS DE GUERRA, ESPECIALMENTE LOS RUSOS. ASÍ QUE ABRIERON DOS "CAMPOS RUSOS", DONDE BÁSICAMENTE, LES DEJABAN MORIR DE HAMBRE Y ENFERMEDAD. Y CREÍAMOS HABERLO VISTO TODO...

TAMBIÉN, DEJARON DE FICHAR A LOS RECIÉN LLEGADOS. ALGUNOS, ESPECIALMENTE LOS SOLDADOS ALIADOS, LOS HOLANDESES, CHECOS Y JUDÍOS FRANCESES, ERAN ASESINADOS A SU LLEGADA. NO RECIBÍAN NI SIQUIERA UN NÚMERO DE PRESO. TAMBIÉN COMENZARON A UTILIZAR "CAMIONES FANTASMA", CON EL ESCAPE CONECTADO AL INTERIOR: EN UNOS KILÓMETROS, LOS OCUPANTES MORÍAN.

TAMBIÉN SE LLEVARON A MUCHOS AL CASTILLO DE HARTHEIM, UN SUPUESTO HOSPITAL DONDE SE LOS CARGABAN Y QUEMABAN RÁPIDAMENTE. O A GUSEN, UN SUBCAMPO CERCANO DONDE LAS COSAS ERAN INCLUSO PEORES.

SE CONSTRUYÓ UNA CÁMARA DE GAS EN MAUTHAUSEN. Y PRONTO, COMENZÓ A FUNCIONAR AL MÁXIMO DE SU CAPACIDAD.

CORRÍA EL RUMOR DE QUE LOS RUSOS EMPEZABAN A GANAR LA GUERRA, Y QUE LOS NAZIS ESTABAN ATERRORIZADOS POR ELLO.

NADIE SABÍA QUÉ ESPERAR. PODRÍAMOS SER LIBERADOS O EXTERMINADOS. SE HABLABA DE HUIDAS MASIVAS, DE REBELARNOS. PERO HABÍA DEMASIADO MIEDO.

Y PARA COLMO...

DEBO INFORMARTE DE QUE HEMOS RECIBIDO ÓRDENES DE DETENER CUALQUIER TIPO DE ACTIVIDAD FOTOGRÁFICA.

PERO, OBERSCHARFÜRER...

ADEMÁS, TODOS LOS NEGATIVOS, POSITIVOS Y CUALQUIER TIPO DE DOCUMENTO GUARDADO EN NUESTROS ARCHIVOS DEBE SER DESTRUIDO INMEDIATAMENTE.

CUALQUIER ELEMENTO INCRIMINADOR DEBÍA ARDER. Y ESO QUERÍA DECIR QUE PRONTO, LAS ÚNICAS PRUEBAS DE LO QUE HABÍA OCURRIDO EN EL CAMPO SERÍAN LAS FOTOS ROBADAS. ¡NO DEBÍAN ENCONTRARLAS!

QUERÍAS VERME, ¿NO? ¿HAS TOMADO UNA DECISIÓN SOBRE LAS FOTOS?

SÍ.

TENGO UN NUEVO PLAN. LAS SACAREMOS DEL CAMPO.

ESTÁS... ¡ESTÁS LOCO, CATALÁN! ¿CÓMO PUEDES...? ¿CÓMO PIENSAS...? ¿QUIÉN PODRÍA...?

QUIÉN. ESA ERA LA CUESTIÓN. Y DE HECHO, TENÍA A ALGUIEN EN MENTE.

NO, NO, NO...

¡NO!

AUNQUE PAREZCA INCREÍBLE, LOS SS HABÍAN CONSTRUIDO UN CAMPO DEPORTIVO CERCA, EN EL EXTERIOR DE MAUTHAUSEN, CON CAMPO DE FÚTBOL Y TODO. HIMMLER PENSABA QUE ERA BUENO PARA LA MORAL.

LOS NAZIS TENÍAN SU PROPIA LIGA, Y A VECES DEJABAN QUE LOS CHAVALES ESPAÑOLES FUERAN A SUS PARTIDOS PARA ANIMARLES. A VECES, INCLUSO LES DEJABAN JUGAR ENTRE ELLOS.

LO DIVERTIDO ES QUE LOS NAZIS NUNCA JUGARON CONTRA NUESTROS CHAVALES. ¡INCLUSO ELLOS SABÍAN QUE NO PODÍAN GANAR A UN FUTBOLISTA ESPAÑOL!

¿OTRA VEZ? ¿HAS PERDIDO EL BALÓN OTRA VEZ?

PERDONA, HANS, YO...

¡NO, HANS!

¡NO ME GUSTA PEGARTE! ASÍ QUE LA PRÓXIMA VEZ TEN CUIDADO Y NO ME OBLI-GUES A ELLO, ¿VALE?

¡SEGURO, HANS! GRACIAS...

ESE NIÑO ERA NUESTRA ÚLTIMA OPORTUNIDAD.

PERO ¿QUÉ? FRANCESC, ¿ESTÁS LOCO?

SH, SH. ESCUCHA.

MATEU, ESTA ES UNA MISIÓN MUY IMPORTANTE. TU PADRE ERA COMUNISTA, ¿NO?

SÍ, PERO...

ESCUCHA. SÉ QUE ES UNA MISIÓN MUY ARRIESGADA, PERO SOLO PUEDES HACERLO TÚ.

PERO ¿QUÉ HAY DENTRO?

ES MEJOR QUE NO LO SEPAS.

PODRÍAN PERDERSE ALGUNAS... VIDAS SI TE ATRAPAN CON ELLO. PERO ES MUY IMPORTANTE PARA NOSOTROS; PARA EL PARTIDO, SACAR ESE PAQUETE DEL CAMPO Y ESCONDERLO.

PERO, PERO...

¿LO ENTIENDES? NECESITAMOS CUMPLIR ESTA MISIÓN EN NOMBRE DEL PARTIDO. CREO QUE TU PADRE HUBIESE ESTADO DE ACUERDO, ¿NO?

PERO FRANCESC... YO PENSABA QUE... QUE NINGÚN PARTIDO MERECE ARRIESGAR LA VIDA... PORQUE ESO ES LO QUE PIENSAN LOS NAZIS, ¿NO? ¿NO ES POR ESO QUE ESTAMOS AQUÍ?

EL CHICO TENÍA RAZÓN. TENÍA TANTA RAZÓN.

TANTA PUTA RAZÓN.
¿QUÉ ME ESTABA PASANDO?

¿DE VERDAD MERECÍA LA PENA?
¿NO ERA UNA EXCUSA TODO
ESO DEL PARTIDO? EN REALIDAD,
¿NO ERA TODO REALMENTE MI
TESTARUDEZ? ¿NO LO ESTABA
LLEVANDO DEMASIADO LEJOS?

TENÍA QUE TOMAR UNA
DECISIÓN. Y LO HICE.

TE SALVÉ LA VIDA.
ME DEBES UNA.

ESO ES... UN TRUCO
SUCIO, FRANCESC.
NO ME PUEDES
PEDIR QUE HAGA
ESTO. ¡TENGO MIEDO!

ESCUCHA. NO ES
UNA PETICIÓN. ES
UNA ORDEN. QUIERO
QUE LO HAGAS. ME LO
DEBES. ¿ENTIENDES?

YO... YO...
VALE...
FRANCESC.

BIEN, ESCÚCHAME.
DENTRO DE
UNOS DÍAS...

NO ESTOY ORGULLOSO, NÚRIA. ESTO
ME PERSEGUIRÁ DURANTE EL RESTO
DE MI VIDA. ERA SOLO UN MUCHACHO.
PERO TODAVÍA CREO QUE
HABÍA QUE HACERLO. ¿NO?

...SALÍ DEL CAMPO.

...COMO TE DECÍA, FRANZ, DECIDÍ ENFRENTARME, EN MI ARTE, AL TEMA DEFINITIVO: LA INMORTALIDAD.

VVRRRROOMM

LA PRIMAVERA ESTABA FLORECIENDO. QUÉ DELICADO, PRECIOSO, AGRADABLE AROMA, NÚRIA.

...POR ESO, LA INMORTALIDAD ES A LO QUE DEBE ASPIRAR TODO ARTISTA...

ESTABA YA TAN ACOSTUMBRADO AL HORRIBLE HEDOR DE LA CARNE QUEMADA.

EN EL CAMPO, TODO ERA GRIS COMO LA PIEDRA Y NEGRO COMO LA CENIZA.

...Y PARA ELLO, TODOS LOS ARTISTAS DEBEN TERMINAR CONFRONTANDO EL TEMA DEFINITIVO...

AQUÍ EL COLOR ERA TAN BRILLANTE, QUE DOLÍA. COMO SI HUBIESE ESTADO CIEGO DURANTE AÑOS.

...Y ESTE TEMA ES LA MUERTE. Y LA ÚNICA MANERA DE DERROTAR A LA MUERTE ES ENFRENTARNOS A ELLA A TRA-VÉS DEL ARTE.

ESTO ES LO QUE LOS NAZIS QUERÍAN QUITARNOS. ESTO ES POR LO QUE LUCHÁBAMOS. LA VIDA. EN TANTOS SENTIDOS. LA VIDA...

...ASÍ QUE DECIDÍ OTORGARTE EL HONOR SUPREMO.

HERR RICKEN... ME TEMO QUE NO ENTIENDO LO QUE ESTÁ OCURRIENDO.

PAUL, LLÁMAME PAUL.

FRANZ, ERES EL ÚNICO HOMBRE SENSIBLE QUE HAY EN EL CAMPO. ERES UN ARTISTA VERDADERO.

CONTINÚE... PAUL.

ERES EL ÚNICO QUE PUEDE ENTENDER LO QUE QUIERO HACER CON MI ARTE, QUE NOS DARÁ LA INMORTALIDAD A LOS DOS.

¿QUÉ ESTÁ INTENTANDO DECIRME, PAUL?

TE DOY EL HONOR, COMO MI MODELO, DE QUE ME ACOMPAÑES EN MI INMORTALIDAD COMO ARTISTA.

¡VOY A RETRATAR LA MUERTE! TU MUERTE... Y ASÍ, EL ARTE NOS HARÁ INMORTALES A LOS DOS.

TU MUERTE SERÁ MI OBRA MAESTRA, FRANZ.

Y UNA MIERDA.

ESTABA MUY SEGURO DE OTRA COSA.

QUE NO ERA YO QUIEN IBA A MORIR ESE DÍA.

POR SUERTE, RICKEN NO DEBÍA DE HABER PELEADO DESDE QUE FUE AL KINDERGARTEN.

TAN SOLO DESEARÍA HABER TENIDO MÁS FUERZAS ESE DÍA.

SUPONGO QUE FUE LA MALA COMIDA.

VAMOS. SOLO UN TIRÓN AL GATILLO. SOLO ESO. POR TODOS LOS DEL CAMPO. POR LOS MUERTOS.

POR MATEU. POR TI, NÚRIA. PORQUE AHORA, ES ÉL O YO.

TENÍA QUE PENSAR ALGO, Y RÁPIDO.

PERMÍTEME QUE LLEVE TU RAZONAMIENTO AÚN MÁS ALLÁ, PAUL.

¿Y SI ES EL ARTISTA QUIEN SE ENFRENTA A LA MUERTE...

...Y ÉL MISMO ES EL TEMA?

SU PROPIA LÓGICA RETORCIDA LE CLAVÓ AL SUELO.

CLICK

CLICK

CLICK

CLICK

CLICK CLICK

CLICK

CLICK

CLICK

NO PODÍA MATARLE. EL DISPARO SE HUBIESE OÍDO EN KILÓMETROS A LA REDONDA. LOS PERROS ME HUBIESEN ENCONTRADO PRONTO. Y MUCHOS ESPAÑOLES MORIRÍAN COMO REPRESALIA.

Y EN EL CAMPO, ME NECESITABAN PARA EL ROBO.

Y ADEMÁS... SUPONGO QUE TENÍA QUE LOGRAR MI PROPIA INMORTALIDAD.

PARA MAÑANA. ENTREGADAS DIRECTAMENTE A MÍ. COMO SIEMPRE.

RICKEN RENUNCIÓ AL DÍA SIGUIENTE. PIDIÓ SER TRASLADADO A OTRO CAMPO. NUNCA LE VOLVIMOS A VER. PERO SABRÍA DE ÉL MUCHO, MUCHO DESPUÉS.

PERO, ANTES DE QUE LLEGARA EL DÍA, TENÍA QUE ASEGURARME DE QUE NO HABRÍA INTRUSIONES.

...Y ESE ES EL FINAL DEL PLAN.

ASÍ QUE VAS A HACERLO, PASE LO QUE PASE. DÉJAME QUE LO ENTIENDA BIEN. OTRA VEZ.

ES NUESTRA ÚLTIMA OPORTUNIDAD: EL EQUIPO DE TRABAJO DE MATEU, EL KOMMANDO POSCHACHER, TRABAJA EN LA FÁBRICA LOCAL.

HASTA AHORA, PASABAN LA NOCHE EN EL CAMPO, PERO MAÑANA LES TRASLADARÁN ALLÍ DEFINITIVAMENTE. ES NUESTRA ÚLTIMA OPORTUNIDAD DE SACAR EL PAQUETE FUERA.

EL CHICO CONOCE A ESTA ANCIANA, UNA TAL FRAU POINTNER, QUE HA ACEPTADO LLEVARSE EL PAQUETE Y ESCONDERLO. Y ASÍ NOS OLVIDAREMOS DEL ASUNTO, HASTA QUE ESTO ACABE.

¿TE DAS...?

¿TE DAS CUENTA DE LAS SANDECES QUE ME ESTÁS CONTANDO?

NO TE VOY A PEDIR APOYO NI AYUDA, PERO ASEGÚRATE DE QUE NADIE INTERVIENE.

FRANCESC, ERES UN TIPO VALIENTE. Y UN BUEN COMUNISTA.

PERO A VECES, A PESAR DE LA POLÍTICA, INCLUSO A PESAR DEL PARTIDO... OLVIDAMOS QUE EL COMUNISMO TRATA DEL BIEN COMÚN.

DIGO QUE...

ES POR ESO QUE TE OFREZCO OLVIDARTE DE TODO ESTO. QUE DEJES AL CHICO EN PAZ. QUE NOS DEJES A TODOS VIVIR PARA VER EL FINAL.

PORQUE SI TU DEMENCIAL PLAN SALE MAL, MUCHOS DE NOSOTROS MORIREMOS SIN RAZÓN ALGUNA. Y EN ESE CASO, FRANCESC... SERÁ MI DEBER MATARTE CON MIS PROPIAS MANOS.

ASÍ QUE: AQUÍ Y AHORA, ¿ESTÁS DISPUESTO A OLVIDARTE DE TODO LO QUE ME HAS CONTADO?

MÁTAME AHORA O LUEGO, ME DA IGUAL. PERO LLEVARÉ EL PLAN A CABO TAL Y COMO TE LO HE EXPLICADO.

TÚ LO HAS QUERIDO.

ESTÁS SOLO. ADIÓS, FRANCESC.

QUIZÁ LO ESTUVE DESDE EL PRINCIPIO DE TODO AQUELLO, Y LO ESTARÍA HASTA EL FINAL.

EL DÍA LLEGÓ.

9:00 AM

PRIMERO, DIVIDÍ LO QUE TENÍAMOS. DECIDÍ SEPARAR LOS NEGATIVOS MENOS COMPROMETEDORES; SIEMPRE PODRÍA DESTRUIRLOS RÁPIDAMENTE SI ALGO SALÍA MAL.

PERO QUERÍA PROTEGER LOS MÁS IMPORTANTES A CUALQUIER PRECIO.

SOLO HABÍA UN HOMBRE EN QUIEN PUDIERA CONFIAR: ROVIRA. ME DIJO QUE ESTABA CONMIGO, SIN IMPORTAR LAS CIRCUNSTANCIAS.

TE PREOCUPAS DEMASIADO. ¡ESTÁ CHUPADO!

10:00 AM

LA MADRE QUE TE...

PERO ¿QUÉ...?

¡NO!

¿QUÉ INTENTABAS HACER?

NO, YO NO... ¡NADA, DE VERDAD!

¡SAL DE MI VISTA, ESCORIA! ¡NO TENGO TIEMPO PARA TI AHORA!

¡LO SIENTO! ¡DISCULPAS!

CASI ME DA UN ATAQUE AL CORAZÓN. ERA ASÍ DE FÁCIL QUE TODO SE VINIESE ABAJO.

¡BUF! ¡HA ESTADO CERCA!

10:04 AM

ESA MISMA JORNADA SE JUGABA UN IMPORTANTE PARTIDO DE FÚTBOL EN MAUTHAUSEN.

SS VS LUFTWAFFE.

LA LUFTWAFFE ERA EL FLAMANTE CAMPEÓN DE LA LIGA DEL EJÉRCITO ALEMÁN.

10:30 AM

Y LOS SS ESTABAN MUY CONFIADOS DE QUE PODÍAN HACERLES FOSFATINA.

QUIERO ESAS ZAPATILLAS LIMPIAS Y LISTAS POR SI TENGO QUE ENTRAR, ¿ME OYES, MATEU?

JA WOLHL, HANS!

PERO LOS SS, COMO DE COSTUMBRE, NO IBAN A JUGAR LIMPIO.

AHORA ES EL MOMENTO. ¡AHORA, MATEU! ¡A LA OTRA PORTERÍA!

¡VAMOS... VAMOS!

¡TIENES QUE LOGRARLO, MATEU!

¡ESPERA! ¡NO TE PRECIPITES! ¡AÚN NO!

¡GOL!

¡AHORA! ¡TODOS ESTÁN DISTRAÍDOS! ¡AHORA!

FRSH!

¡AHORA!

SABÍAMOS QUE EL FIN DE LA GUERRA SE APROXIMABA. Y LOS NAZIS, TAMBIÉN.

SABÍAN QUE LOS RUSOS LLEGARÍAN PRONTO, Y NO TENDRÍAN PIEDAD ALGUNA CON ELLOS.

TENÍAN QUE DESTRUIRLO TODO, QUEMARLO TODO, NO DEJAR NINGÚN RASTRO.

NOS ENCERRARON EN LAS BARRACAS. SOLO PODÍAMOS ESPERAR Y ESTAR PREPARADOS.

QUIZÁ QUERÍAN EXTERMINARNOS, ASÍ QUE ESTÁBAMOS PREPARADOS PARA RESISTIR.

TAN SOLO NOS QUEDABA ESCUCHAR LOS GRITOS DE LOS QUE MATABAN, DÍA TRAS DÍA.

POCO DESPUÉS, EMPEZAMOS A OÍR ARTILLERÍA PESADA ACERCARSE POCO A POCO.

BOOMM BOOOM BOOOM BOOOM

PERO UN DÍA, SOLO HUBO SILENCIO.

SABÍAMOS QUE LOS NAZIS TRAMABAN ALGO.

TENÍAMOS QUE ADELANTARNOS. HACER EL PRIMER MOVIMIENTO.

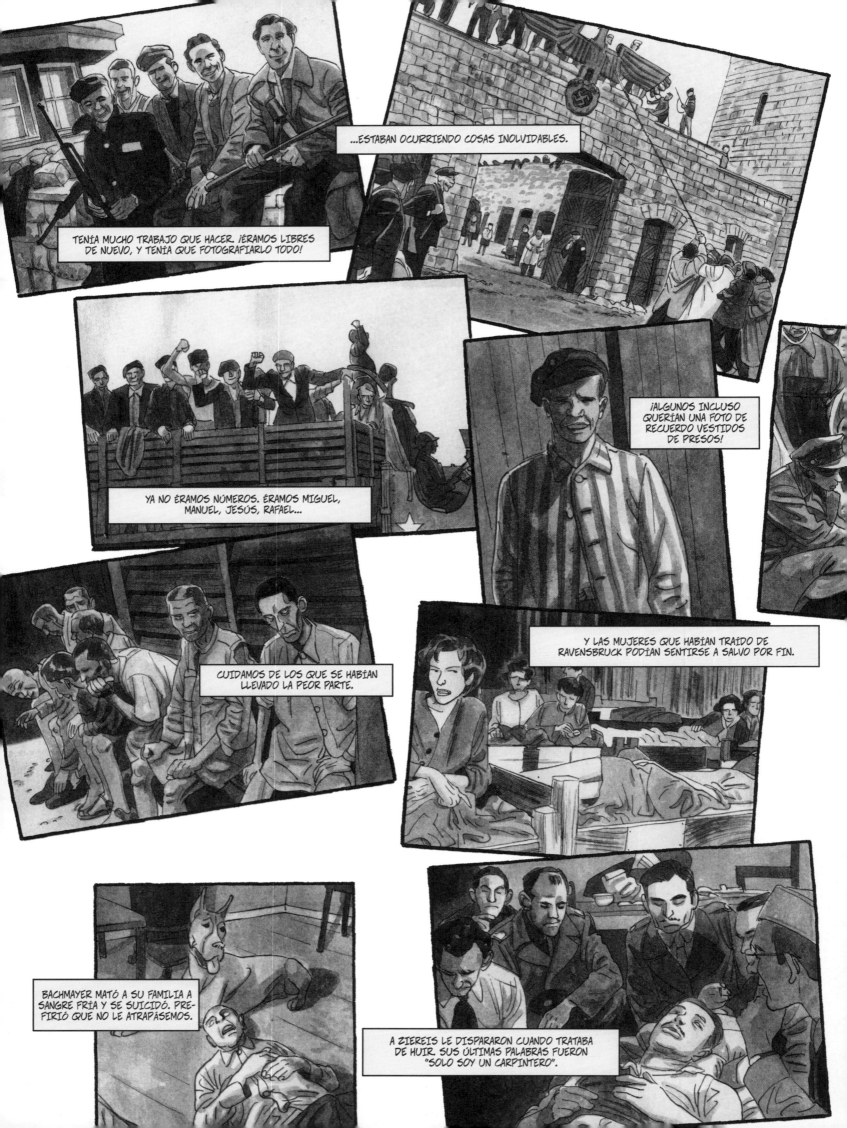

DEBO DECIR QUE LOS FRANCESES NOS TRATARON MEJOR QUE AL FINAL DE LA GUERRA ESPAÑOLA. ¡NOS LO PASAMOS MUY BIEN DURANTE UNOS DÍAS!

PERO COMO SOLÍA OCURRIR, NO DURARÍA MUCHO.

CARLOS, TODAVÍA TENGO LOS NEGATIVOS, Y HE PENSADO QUE DEBERÍAMOS VERNOS PARA...

OLVÍDATE DE ELLOS, FRANCISCO. ESTAMOS MUERTOS.

¿QUÉ QUIERES DECIR?

QUE NOS HAN DADO LA SENTENCIA DE MUERTE.

¿QUÉ?

EL PARTIDO DICE QUE TODOS LOS PRESOS QUE HAN VIVIDO PARA CONTARLO SON COLABORACIONISTAS.

¿QUÉ? PERO ¿CÓMO PUEDEN DECIR QUE...?

STALIN DICE QUE NUESTRO DEBER ERA MORIR LUCHANDO. ESTAR VIVOS ES LO MISMO QUE SER UNOS TRAIDORES.

¡ESO NO PUEDE SER! LES HAREMOS ENTENDER QUE... CUANDO VEAN LAS FOTOS, ELLOS...

FRANCISCO, NO QUIERO LAS MALDITAS FOTOS. DE HECHO...

DICEN QUE ESTÁN LLEVANDO A LOS PRESOS QUE HUYERON A LA URSS A CAMPOS COMO MAUTHAUSEN, EN SIBERIA. LOS LLAMAN GULAGS. ADEMÁS... ALGUNOS CAMPOS NAZIS SIGUEN FUNCIONANDO, DIRIGIDOS POR LOS RUSOS... NO SÉ QUÉ PENSAR, FRANCISCO... POR FAVOR, DÉJAME SOLO.

YO TAMPOCO SABÍA QUÉ PENSAR.

MATEU SE MORÍA.

¡...PASÉ TANTO MIEDO...! CREÍA QUE HANS ME HABÍA PILLADO... PERO FUNCIONÓ, FRANCESC... SIEMPRE LO RECORDARÉ... MERECIÓ LA PENA.

ESTABA MUY ENFERMO, SIN CURA POSIBLE. NOS ESTABA OCURRIENDO A MUCHOS DE NOSOTROS.

HABÍAMOS SOPORTADO LO INSOPORTABLE. PERO MUCHOS ESTABAN MURIENDO DE LAS ENFERMEDADES CONTRAÍDAS EN LOS CAMPOS. LOS NAZIS SEGUÍAN MATÁNDONOS AUNQUE HUBIESEN DESAPARECIDO.

CENIZAS, SOLO CENIZAS...

PERO AHORA... ENVIARÁS LAS FOTOS A LOS PERIÓDICOS Y AL PARTIDO... Y SEREMOS FAMOSOS... Y CONOCERE-MOS A TANTAS CHICAS... ¿CUÁNDO LAS ENVIARÁS...?

PRONTO. MUY PRONTO.

NO PODÍA DECIRLE LA VERDAD. QUE NI NOSOTROS, NI LAS FOTOS, IMPORTABAN A NADIE.

NO PODÍA DECIRLE QUE TODO HABÍA SIDO PARA NADA.

MURIÓ UNOS DÍAS MÁS TARDE. ERA EL ÚLTIMO AMIGO QUE ME QUEDABA. Y QUIZÁ... TAMBIÉN HABÍA MUERTO POR MI CULPA.

¿QUÉ HACER? NO PODÍA VOLVER A ESPAÑA. ME TORTURARÍAN Y MATARÍAN. ¿QUIZÁ SUDAMÉRICA?

NO. MI FRANCÉS ERA LO SUFICIENTEMENTE BUENO. POR EL MOMENTO, ME QUEDARÍA EN PARÍS.

QUIZÁ PODRÍA ENCONTRAR TRABAJO COMO FOTÓGRAFO DE PRENSA, QUIZÁ SI BUSCARA EN LOS ANUNCIOS...

NO PODÍA SER.

COMIENZAN LOS JUICIOS DE NUREMBERG

LOS DIRIGENTES NAZIS SE ENFRENTAN A PENAS DE MUERTE

LOS TESTIGOS DEL HOLOCAUSTO HABLAN

¡ESTABAN JUZGANDO A LOS NAZIS! ¡NECESITABAN TESTIMONIOS, TESTIGOS... PRUEBAS!

¡AQUÍ ESTABA LA CLAVE! ¡TENÍA QUE IR ALLÍ!

¡ELLOS SÍ QUE QUERRÍAN VER LAS FOTOS!

COGÍ EL TREN A NUREMBERG EN ENERO DEL 46.

¡NO TE MUEVAS! ¡QUIETA! ¡LA LUZ NO VA A DURAR!

CLICK

¿PERDÓN?

CLICK

¡MENUDA BELLEZA DE MUJER! ¡NO PODÍA DEJAR PASAR ESA OCASIÓN!

¿TE HAN DICHO ALGUNA VEZ QUE PODRÍAS SER MODELO?

¡OH! ¿ESO ES UNA LEICA?

¿CO-CÓMO DICES?

ES UNA LEICA IIIB, ¿VERDAD? DE 1940, ME PARECE A MÍ. ¡UNA GRAN MÁQUINA!

¿CÓMO SABES QUE...?

OH, SOLÍA TRABAJAR COMO FOTÓGRAFA.

¿¿QUÉ??

NO SOLO ESO, TAMBIÉN ERA COMUNISTA. PERO NO HABLAMOS DE LA GUERRA.

SOLO HABLAMOS DE FOTOGRAFÍA, DE NUESTRAS FAMILIAS, DE LOS SITIOS QUE HABÍAMOS VISITADO, DE NUESTROS SUEÑOS.

CHARLAR DE LA VIDA CON UNA MUJER ERA A LA VEZ EXTRAÑO Y AGRADABLE, COMO SI POR UN RATO, EL HORROR DEL CAMPO NO HUBIERA EXISTIDO...

AL DÍA SIGUIENTE, LA PERDÍ EN LA ESTACIÓN.

¡MALDITA SEA!

PERO EN CUALQUIER CASO, TENÍA UNA MISIÓN QUE CUMPLIR.

ESTABA ALLÍ PARA CONTAR UNA HISTORIA.

NO. USTED NO PUEDE DECLARAR.

¿QUÉ? PERO... USTED NO LO ENTIENDE, FUI PRISIONERO EN MAUTHAUSEN, TENGO UNAS FOTOS QUE... TIENE QUE DEJARME PASAR PARA...

ES IMPOSIBLE. USTED NI SIQUIERA ES UN CIUDADANO FRANCÉS. USTED ES ESPAÑOL.

ESPAÑA ES UN PAÍS FASCISTA. NO CREO QUE UN CIUDADANO DE UN PAÍS FASCISTA DEBA DECLARAR EN UN JUICIO CONTRA LOS NAZIS.

¿¿FASCISTA YO?? SOY UN REFUGIADO ESPAÑOL... ¡Y ME DETUVIERON EN EL EJÉRCITO FRANCÉS! TENGO DERECHO A...

ESCUCHA, SI NO TE VAS AHORA MISMO, HARÉ QUE TE LARGUEN DE AQUÍ, ASÍ QUE...

¿¿TÚ??

ESTE HOMBRE DECLARARÁ EN EL JUICIO.

¡MADAME VAILLANT-COUTORIER!

HABÍA LLEGADO LA HORA. Y ESTABA PREPARADO.

GEOFFREY LAWRENCE, PRESIDENTE (UK)

¿CUÁL ES SU NOMBRE?

FRANÇOIS BOIX.

¿ES USTED FRANCÉS?

SOY UN REFUGIADO ESPAÑOL.

REPITA CONMIGO:

"JURO HABLAR SIN TEMOR U ODIO, Y DECIR LA VERDAD, TODA LA VERDAD, SOLO LA VERDAD."

¿LUCHÓ USTED COMO VOLUN- TARIO EN EL EJÉRCITO FRANCÉS?

SÍ.

¿FUE HECHO PRISIONERO DE GUERRA O POLÍTICO?

PRISIONERO DE GUERRA. PERO NOS PUSIERON CON LOS JUDÍOS COMO MIEMBRO DE LOS "UNTERMENSCHEN". OÍMOS QUE LOS ALEMANES HABÍAN PREGUNTADO A FRANCO QUÉ TENÍAN QUE HACER CON LOS PRISIONEROS ESPAÑOLES, Y LA RESPUESTA...

ESO NO IMPORTA

¿QUÉ HABÍA DICHO? ¿"ESO NO IMPORTA"?

¿CUÁLES ERAN SUS LABORES EN EL CAMPO?

YO... TENÍA QUE TRASLADAR AL ESPAÑOL TODAS LAS BARBARIDADES QUE LOS ALEMANES QUERÍAN DECIR A LOS PRESOS ESPAÑOLES. DESPUÉS, TRABAJÉ COMO FOTÓ- GRAFO, REVELANDO LOS CARRETES QUE SE TOMABAN POR TODO EL CAMPO, MOSTRANDO LA HISTORIA DE LO QUE ALLÍ PASÓ.

USTED ESTÁ AQUÍ PARA PRESENTAR UN CIERTO NÚMERO DE FOTOGRAFÍAS A LA COMISIÓN. USTED DIRÁ CUÁNDO Y DÓNDE FUERON TOMADAS.

SÍ.

DELEGADO FRANCÉS M. DUBOST, COMIENCE.

PERMÍTANME PEDIR LA PRUEBA NÚMERO RF-331, DOCUMENTO F-321.

MR. BOIX, PERMÍTAME COMENZAR YA. VOY A PEDIRLE QUE IDENTIFIQUE TODAS ESTAS FOTOS.

IDENTIFIQUE ESTE LUGAR, POR FAVOR.

ES LA CANTERA DEL CAMPO DE MAUTHAUSEN.

¿DÓNDE ESTÁ LA FAMOSA ESCALERA?

AL FONDO.

¿CUÁNTOS ESCALONES TENÍA?

186.

DEMOS PASO A LA SIGUIENTE FOTO.

ESTE ES EL CADÁVER DE UN HOMBRE QUE SE HABÍA CAÍDO DESDE LO ALTO DE LA CANTERA.

ESTE HOMBRE PERTENECE A LA COMPAÑÍA DISCIPLINARIA. LLEVABAN ROCAS DE HASTA 80 KILOS, HASTA QUEDAR AGOTADOS. MUY POCOS HOMBRES VOLVÍAN DE LA COMPAÑÍA DISCIPLINARIA, Y...

GRACIAS. PASE LA SIGUIENTE FOTO.

¿QUÉ ESTÁ PASANDO? ¿POR QUÉ TANTA PRISA?

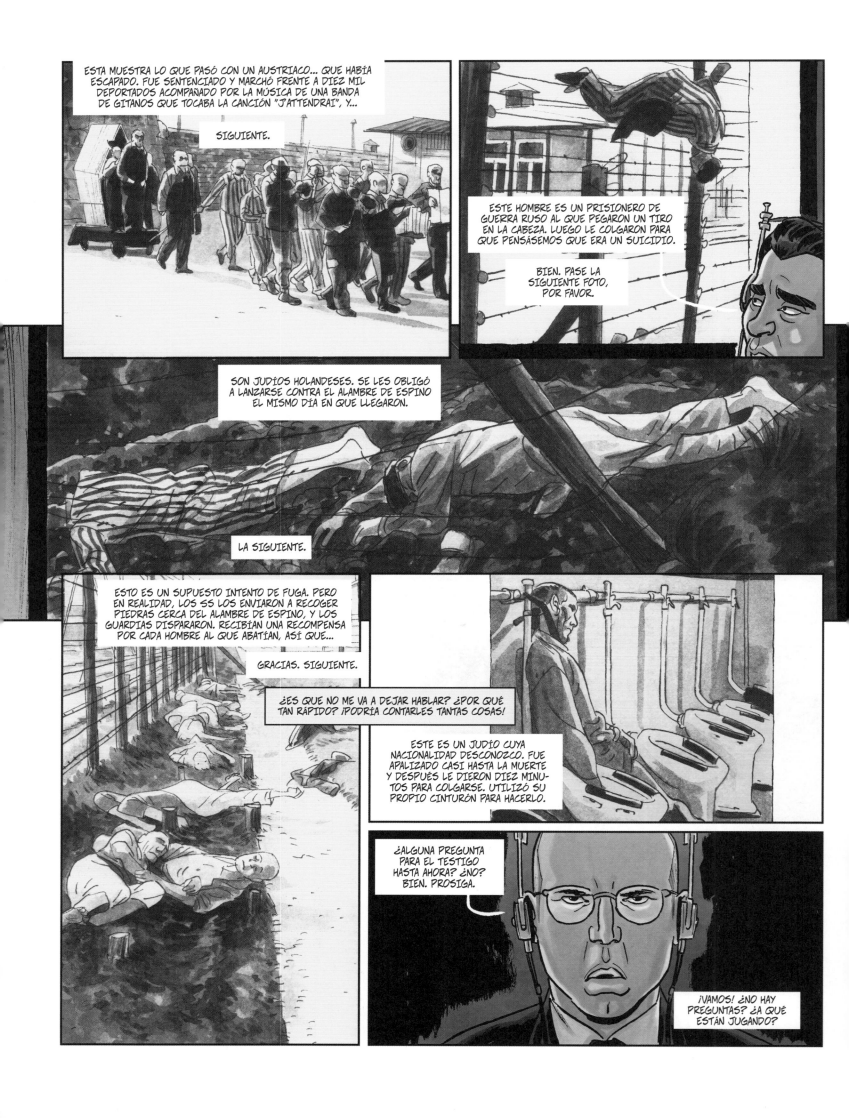

INTENTÉ DECIRLES TODO LO QUE PUDE. INTENTÉ RECORDAR CUALQUIER NACIONALIDAD, CUALQUIER TIPO DE PRISIONEROS, CUALQUIER TIPO DE INCIDENTE.

A VECES, ERAN ENVIADOS DIRECTAMENTE A LA CÁMARA DE GAS... OTRAS VECES ERAN FUSILADOS... EMPAPADOS EN AGUA HELADA HASTA MORIR...

PERO TENÍA UNA SENSACIÓN EXTRAÑA.

TRATABAN ASÍ A TODOS LOS INTELECTUALES... ERAN ESPANTAPÁJAROS HUMANOS... MIL SEISCIENTOS HOMBRES POR BARRACA, SIETE METROS DE ANCHO POR CINCUENTA DE LARGO...

UNA SENSACIÓN QUE CRECÍA MÁS Y MÁS SEGÚN PASABAN LOS MINUTOS.

ERA NOVIEMBRE, A MÁS DE DIEZ GRADOS BAJO CERO... VEINTE MUERTES SOLO EN EL CAMINO DE LA ESTACIÓN AL CAMPO... ESTABAN AL LÍMITE DE SU RESISTENCIA... ENTONCES, COMENZÓ EL PROCESO DE ELIMINACIÓN...

NO ESTABAN ESCUCHANDO.

SE LES OBLIGÓ A TRABAJAR BAJO LAS MÁS TERRIBLES CONDICIONES... SE LES PEGABA, PATEABA, INSULTABA... ERAN MASACRADOS HASTA EL FINAL POR CUALQUIER MÉTODO IMAGINABLE...

QUIZÁ YA HABÍAN OÍDO DEMASIADO. QUIZÁ TODO AQUELLO ERA SOLO UNA FORMALIDAD PARA ELLOS. PERO ESTABA SEGURO DE QUE, SIN IMPORTAR SUS BUENAS INTENCIONES... NO ME ESTABAN ESCUCHANDO.

AHORA, SEÑOR PRESIDENTE, QUISIERA MOSTRAR ALGUNAS FOTOS MÁS.

PROCEDA.

...ASÍ QUE PARA ESTO QUERÍAN LAS FOTOS. NO PARA DENUNCIAR NUESTRO SACRIFICIO. NO PARA MOSTRARLAS AL MUNDO. SINO...

...PARA MATAR A UN HOMBRE MÁS.

QUE NO SE ME ENTIENDA MAL. LE QUERÍA TAN MUERTO COMO A TODOS LOS DEMÁS NAZIS.

PERO YO ESTABA ALLÍ PARA HABLAR DE TODOS LOS PRESOS QUE HABÍAN SUFRIDO Y MUERTO. Y LO IBA A SEGUIR INTENTANDO MIENTRAS PUDIERA.

BIEN, MR. BOIX. ¿CÓMO OBTUVO ESTAS FOTOGRAFÍAS?

ROBÉ LOS NEGATIVOS.

¿QUIÉN TOMÓ ESTAS FOTOS?

EL OBERSCHARFÜHRER SS PAUL RICKEN. TUVE QUE MANEJAR LOS FOCOS MIENTRAS ÉL TOMABA LAS FOTOS. ME ORDENÓ QUE NO HABLARA A NADIE DE SU EXISTENCIA; SI LO HACÍA, SERÍAMOS LIQUIDADOS INMEDIATAMENTE.

SIN TEMOR ALGUNO POR LAS CONSECUENCIAS, SE LO COMUNIQUÉ A MIS CAMARADAS, PARA QUE SI UNO SOLO DE NOSOTROS CONSEGUÍA SALIR, PUDIERA CONTÁRSELO AL MUNDO.

LIMÍTESE A CONTESTAR LA PREGUNTA, NO HAGA DIS- CURSOS. ¿CREE USTED QUE PODRÍAN HABER IGNORADO LO QUE OCURRÍA ALLÍ?

ERA IMPOSIBLE QUE NO SUPIESEN LO QUE ESTABA OCURRIENDO. UNO TENDRÍA QUE HABER ESTADO CIEGO PARA NO VERLO. ERAN BESTIAS, SALVAJES, COMO CRIMINALES. Y ASÍ ERAN CONOCIDOS.

¿HE ENTENDIDO CORRECTAMENTE DE SU TESTIMONIO, QUE EL CAMPO DE CONCENTRACIÓN ERA REALMENTE UN CAMPO DE EXTERMINIO?

EL CAMPO ESTABA SITUADO EN LA CATEGORÍA 3: ES DECIR, ERA UN CAMPO DEL QUE NADIE DEBÍA SALIR.

UNA PREGUNTA MÁS. ¿GARANTIZABA LA ADMINISTRA-CIÓN DEL CAMPO EL DERECHO DE LOS INTERNADOS A PRACTICAR SU RELIGIÓN?

¿QUÉ... QUÉ TIPO DE PREGUNTA ERA ESA? ¿ES QUE NO ME HABÍA ESCUCHADO? ¿CÓMO PODÍA PREGUNTAR ESO?

¿NO LO ENTIEN-DE? ELLOS... NOSOTROS... ESTABA... ¡ESTABA ABSOLUTAMENTE PROHIBIDO INCLUSO VIVIR!

INCLUSO... VIVIR.

YO, COMO DELEGADO FRANCÉS, NO TENGO MÁS PREGUNTAS, SEÑOR PRESIDENTE.

¿TIENEN LOS DEMÁS DELEGADOS ALGUNA OTRA PREGUNTA?

NO HAY PREGUNTAS.

NO HAY PREGUNTAS.

NO HAY PREGUNTAS.

¿¿QUÉ?? ¿NO MÁS PREGUNTAS? PERO...

EL TESTIGO PUEDE RETIRARSE.

¡PERO TENGO MUCHAS MÁS FOTOS, MILES DE ELLAS! PUEDO MOSTRARLAS SI EL TRIBUNAL LO DESEA.

NO MÁS FOTOS. ¿QUIERE AÑADIR ALGO MÁS?

NO... NO...

¿AÑADIR ALGO, DICE? ¿QUÉ? ¿POR DÓNDE EMPEZAR?

NO PUEDO...

NO PUEDO... DECIRLE TODO LO QUE SÉ... SÉ TANTO QUE UN MES... NO BASTARÍA PARA CONTARLO TODO. SOLO QUERÍA PODER CONTAR ESTA HISTORIA...

CREO QUE HEMOS OÍDO SUFICIENTE. NO CREO QUE EL TRIBUNAL QUIERA ESCUCHAR MÁS DETALLES.

PROCÉDASE, TAN RÁPIDO COMO SEA POSIBLE, A ENVIAR A LOS TESTIGOS DE VUELTA A FRANCIA.

KALTENBRUNNER, RESPONSABLE DE LOS CAMPOS DE CONCENTRACIÓN, SERÍA COLGADO HASTA MORIR GRACIAS A MI TESTIMONIO Y LAS FOTOS ROBADAS.

PERO ¿QUÉ ERA UN MUERTO MÁS?

¡ESTOY HARTO! ¡JODER! ¡NADIE NOS ESCUCHA!

FRANCISCO.

¿EN QUÉ ESTÁN PENSANDO? ¿PARA QUÉ HACEN ESTO? ¿QUÉ TIPO DE JUSTICIA ES ESTA?

POR FAVOR, ESCÚCHAME...

¿CREEN QUE NOS SENTIREMOS VENGADOS? ¿ALIVIADOS? ¿FELICES?

TIENES RAZÓN, PERO...

¿O ES QUE CREEN QUE NOS CONTENTAREMOS SI CUELGAN A UNOS CUANTOS AHORA QUE TODO HA TERMINADO?

POR FAVOR, ESCÚCHAME...

NO LO ENTIENDES. PASÉ POR UN INFIERNO PARA TRAERLES ESAS FOTOS. ¡Y AHORA NO QUIEREN ESCUCHAR LA VERDAD!

LA "VERDAD".

¡SÍ! ¡SOMOS TESTIGOS PORQUE ESTUVIMOS ALLÍ! ¡SOBREVIVIMOS! ¡DEBERÍAN ESCUCHARNOS! ¡INCLUSO TENEMOS LAS FOTOS PARA QUE LO VEAN!

LA VERDAD... OH, POBRE FRANCISCO...

¿POR QUÉ "POBRE" FRANCISCO?

HAS DICHO "LA VERDAD". ¿QUÉ ES LA VERDAD, FRANCISCO?

LA VERDAD ES LO QUE PASÓ ALLÍ. LO SABES. ¡TAMBIÉN PASASTE POR ELLO!

SÍ, ESTUVE ALLÍ. Y LO VI TODO, COMO TÚ. PERO HAY ALGO QUE AÚN NO HAS ENTENDIDO.

¿Y ES, MME. VAILLANT-COUTORIER?

SÍ, NOS ESCUCHARÁN. PERO QUIZÁ... NUNCA PUEDAN ENTENDER LO QUE LES DECIMOS.

¿POR QUÉ...?

LLEGARÁ EL DÍA EN QUE NOS ENCONTREMOS.

RECUERDA, TE LO PROMETÍ.

INCLUSO SI FUE YA HACE MUCHO TIEMPO.

COF.

PORQUE, COMO BIEN SABES...

...NUNCA ME RINDO. NUNCA.

De los 9328 españoles encerrados en campos, 7532
estuvieron en Mauthausen. Como mínimo,
4816 fueron asesinados.

De los cerca de 20.000 negativos que
fueron robados del campo, unos 19.000
están en paradero desconocido.

Francisco Boix murió poco después, a la edad de
31 años por una enfermedad contraída en el campo.
Nunca pudo ver a su hermana Núria de nuevo.

*Ha de tenerse en cuenta que las cifras citadas son únicamente las atestadas.
Por lo tanto, es posible que las cifras reales sean mayores.

DOSSIER
HISTÓRICO

INTRODUCCIÓN

Como prólogo, debemos empezar con algunas clarificaciones generales. Con respecto a los personajes españoles, Francisco Boix es el único deportado real que retratamos. Todos los demás son ficticios, por lo que no representan a nadie en concreto: hubiese sido imposible poder reflejar a todas las personas que participaron en los robos en su justa medida. Repetimos: pese a cualquier posible similitud, todos los demás presos son invenciones. La única excepción es Marie-Claude Vaillant-Couturier, quien ha sido incluida, desde el respeto, porque está documentado que ella y Boix se conocieron en Nuremberg, aunque solo podemos imaginar lo que se dijeron.

Por otra parte, siempre que ha sido posible, hemos representado a nazis reales: Kaltenbrunner, Bachmayer, Ricken, Ziereis, Spatzenegger, Himmler, etc, vivieron y murieron como criminales y merecen que la Historia les recuerde como tales. La única excepción es Hans, otro personaje ficticio creado para favorecer la claridad de la narración.

El presente dossier se apoya particularmente en los estudios de Benito Bermejo y Carlos Hernández de Miguel. En caso de duda, error, polémica o interpretación dudosa, en calidad de guionista asumo toda la responsabilidad.

Salva Rubio

INTRODUCCIÓN

Arriba: Fotografía de escuela de Boix en la Academia Hispania (Poble Sec, Barcelona).

Izquierda: Boix y su familia: su padre Bartolomeu, su madre Anna, su hermanastra Júlia, su hermana Rosa y la pequeña Núria.

Francisco Francisco Boix nace en 1920 en Poble Sec, un barrio popular de Barcelona, verdadera raíz de su compromiso republicano. En efecto, hijo de un padre izquierdista, siendo muy joven se adhiere a las Juventudes Socialistas Unificadas (JSU) de Cataluña.

Lógicamente, cuando en 1936 estalla la guerra civil, Boix se alista en el bando republicano y no tiene más remedio que exiliarse, una vez consumada su derrota.

Arriba: Francisco y Núria en Montjuic (Barcelona).

Derecha: De niño, Francisco ya era conocido por su picardía y dinamismo.

Izquierda: Boix de visita en el frente de Huesca, principios de 1938. La gorra de oficial y el hecho de que tuviera por costumbre hacerse fotografiar manipulando armas nos llevan a creer que esta fotografía era una broma.

En su "voz en off" Francisco habla de su recorrido tras huir de la llamada **Guerra Civil Española** y entrar en Francia como refugiado. En cualquier caso, ¿debemos seguir llamándola "Guerra Civil" cuando Franco contó con el apoyo de tropas italianas, alemanas, portuguesas y marroquíes?

En los últimos días de esa guerra, a Francia llegaron más de **500.000 refugiados** españoles (entre ellos Antonio Machado, que murió poco después); una verdadera catástrofe humanitaria. La reacción del gobierno francés fue intentar que volvieran a casa encerrándoles en campos de concentración y negándoles agua, comida, ayuda y asistencia médica; maltratándoles y confinándoles en condiciones a veces peores que en los campos nazis, lo que provocó la muerte de 14.617 personas en los primeros seis meses (piénsese que en Mauthausen murieron "solo" 4.816 españoles).

Sobre estas líneas: Boix, de joven, y Gregorio López Raimundo en la sede de las JSU en Plaça Catalunya, Barcelona, durante la Guerra Civil.

Desanimados, la mitad de los exiliados había vuelto a España para agosto de 1939; unos 220.000 se quedaron en Francia: muchos murieron de enfermedad, otros fueron usados como mano de obra forzada, otros terminaron en campos nazis. Puede ampliarse esta información en el texto de Rosa Torán.

Francisco fue confinado en el campo de Vernet d'Ariège (llamado *camp répressif pur étrangers suspects*), pasó por el de Septfonds junto a 7.000 españoles más y como muchos otros, fue forzado a unirse a las **CTE** o Compañías de Trabajadores Extranjeros adscritas al ejército francés (en noviembre del 39).

Cuando los alemanes les atraparon, es precisamente porque llevaban uniforme francés por lo que les consideraron en principio **prisioneros de guerra** y fueron llevados al cuartel Bougenel de Belfort (Frontstalag 140), y después al Stalag XI-B en Fallingbostel (ambos campos de prisioneros de guerra, no campos de concentración). Hay testimonios que dicen que en estos campos de la Wehrmacht (bajo la convención de Ginebra) el trato fue mejor que el que recibieron en los campos franceses.

Boix de visita en el frente, cerca de Nogu[...] mediados de 1[...]

Franco, **Serrano Suñer** y otros jerarcas del régimen franquista conocían estos destinos y se desentendieron de los presos: no les consideraban españoles, por lo que los nazis les etiquetaron, irónicamente, como "españoles apátridas" y les mandaron al infierno.

El viaje en tren podía durar varios días sin detenerse. En sus vagones cabían en principio "40 hombres u 8 caballos", pero apretaron **a más de 100 personas**. Faltaba aire, agua, comida, higiene y por ello muchos llegaban muertos, a veces asfixiados.

Las vías de llegada de los republicanos a los campos nazis y el futuro de los supervivientes

Texto de Rosa Torán

Doctora en historia. Vicepresidenta de la
Amical de Mauthausen y otros campos.

Comisaria de diversas exposiciones, entre las cuales
Francesc Boix, fotògraf ? Més enllà de Mauthausen.

Autora de artículos de prensa, prefacios, presentaciones
de libros, cursos y conferencias sobre la deportación
de los republicanos españoles.

Entre sus publicaciones, podemos citar: *Vida i mort
dels republicans als camps nazis; Mauthausen.
Crònica gràfica d'un camp de concentració;
Els camps de concentració nazis. Paraules contra
l'oblit* (Edicions 62, Barcelona, 2005); *Joan de Diego,
tercer secretari a Mauthausen; Amical de Mauthausen:
lluita i record. 1962-1978-2008; Eusebi Pérez Martín,
Recordar per viure, viure per recordar.*

Prefacio

Desde un punto de vista puramente geopolítico, tal como se enseña en la escuela, uno podría pensar que España se libró relativamente de las vicisitudes de la Segunda Guerra Mundial, habida cuenta de la alianza precoz entre Franco y Hitler. Pero *El fotógrafo de Mauthausen* pone de manifiesto la compleja realidad de un país cuyas fuerzas antifascistas, por la fuerza de los acontecimientos, se constituyeron antes que en el resto del continente. Y, conscientes de la globalidad del problema, "los republicanos" españoles continuaron de modo natural la lucha más allá de sus fronteras. Al igual que el resto de sus hermanos europeos, pagaron enormemente el precio de este compromiso.

Antoine Maurel, editor de la edición francesa

Escribo estas líneas en medio de dos fechas cruciales en la historia de la deportación republicana: los 75 años del exilio, en 1939, y los 70 años de la liberación de los campos, en 1945. Una historia excepcional, por cuanto los hombres y mujeres que penaron en los recintos concentracionarios nazis habían sufrido antes una infame estancia en los mal llamados campos de refugiados franceses y porque, tras su liberación, se vieron sumidos en la persecución y el silencio, en su propio país, y obligados a convertir su primera tierra de refugio en exilio permanente.

Repasemos someramente los hechos. Fueron los primeros que combatieron el fascismo con las armas y uno de los últimos colectivos en abandonar los campos después de la liberación. Nueve años de lucha y de dolor. Derrotados militarmente en lo que fue la primera confrontación fascismo-antifascismo en Europa, traspasaron la frontera de Francia con la esperanza de que la vuelta a su país no tardaría en llegar, pero les esperaban meses y años de incertidumbre en la tierra que habían soñado como refugio, al albur de las disposiciones de los gobiernos franceses, incómodos ante su presencia y recelosos de la presencia de los que fueron catalogados como "rojos indeseables". Familias dispersadas a lo largo de todos los departamentos, hombres forzados a enrolarse en el ejército francés, en la Legión Extranjera o en los Batallones de Marcha, o en las militarizadas Compañías de Trabajadores Extranjeros, la mayoría, y que acabaron convertidos en un "ejército de pico y pala", en base a trabajos subalternos, en fábricas, granjas y fortificaciones. Justamente, fueron los hombres de estas compañías, las destinadas en lugares cercanos a las fronteras del este y del norte, los que recibieron los envites de las tropas alemanas, cuando atravesaron aquellas, en mayo de 1940. Disgregación, huidas, fallidos intentos de pasar a Suiza... hasta que unos 10.000 acabaron prisioneros de la Wehrmacht en los *stalags*, compartiendo suerte con millares y millares de soldados de muchas nacionalidades europeas. Su abandono por parte del gobierno de Vichy, al no reconocerlos como soldados propios, y por parte de las autoridades españolas, en sus negociaciones con Hitler, selló el destino de la mayoría de ellos hacia Mauthausen, el campo de la Austria anexionada que precisaba de mano de obra esclava para su construcción.

Los que consiguieron zafarse de su integración en las unidades citadas, indocumentados, con intentos de paso a las zonas no ocupadas, vivieron los años de la guerra mundial bajo el continuo temor a su detención, y muchos de ellos no dudaron en incorporarse de nuevo a la lucha contra el invasor, el mismo enemigo que les había expulsado de su país, pero esta vez bajo otras modalidades. Hombres y mujeres republicanos se convirtieron en pioneros en el movimiento de la Resistencia a partir de 1942, o en saboteadores en la

Organización TODT; algunos dejaron su vida y otros acabarían condenados a la deportación, en todos los campos del Reich. Así pues, desde las primeras deportaciones del mes de agosto de 1940 a las últimas, a lo largo de 1944, unos 10.000 hombres y mujeres republicanos acabaron en los campos nazis, por su condición de defensores de la legalidad republicana y de luchadores contra el fascismo.

Sin necesidad de entrar en detalle de lo que significaron los años de internamiento, el trabajo esclavo, la enfermedad y la muerte y las muestras de resistencia, una de las cuales fue la acción colectiva del robo y la salvaguarda de los negativos del laboratorio fotográfico de las SS del campo de Mauthausen, los republicanos pagaron un precio muy alto por su condición de enemigos de Franco y, por tanto, de Hitler, por el elevado número de víctimas y por las secuelas acarreadas a lo largo de toda su vida.

Rosa Torán
Historiadora. Amical de Mauthausen
y otros campos

LA LLEGADA AL CAMPO

Francisco llega a **Mauthausen** el 27 de enero de 1941, en el transporte más numeroso que hubo: 1.506 personas. Debe tenerse en cuenta que los primeros 927 españoles en pisar campos de concentración llegan ya en agosto de 1940, partiendo de la célebre ciudad, tan significativa para el cómic, de **Angoulême**.

Acerca del **descenso del tren**, numerosos testimonios hablan de que allí recibían los primeros golpes, abusos y asesinatos, entre gritos de "raus" (fuera), "schnell" (rápido), "eintretten" (a formar), "ruhe" (silencio), "scheisskübel" (cubo de mierda) y "rotspanier" (rojos españoles).

La **subida al campo** se realizaba en columna de a cinco para facilitar el conteo. Como cualquier visitante puede comprobar, el camino de la estación de Mauthausen al campo pasa por el pueblo, y muchos presos hablan de cómo los vecinos les veían pasar e incluso de que los niños les tiraban piedras, por lo que en este caso, sería difícil proclamar, como tantas veces se ha hecho, que no sabían lo que ocurría en el campo. Muchos presos no llegaban: eran asesinados por el camino.

Entrada del campo principal de Mauthausen. Al otro lado de la puerta, la *Garagenplatz*.

Izquierda: Fotografía tomada a la llegada al campo. En ese instante, Francisco sin duda no podía imaginar que un día desarrollaría ese género de fotografía.

Interior
del campo.

Había tres categorías para los campos: Mauthausen
era el único de la **3ª categoría**, la más dura
(Auschwitz era categoría 1). Esta tercera categoría
era para irrecuperables que debían ser **exterminados por medio del trabajo**. Pero esto no afectaba solo a la fortaleza central o *hauptlager*: bajo
su égida se hallaban 4 campos austríacos más o
nebenlager, como el letal subcampo de *Gusen*,
donde de hecho murió la mayoría de españoles.
Este complejo además incluía unos 100 subcampos
más pequeños.

Interior del
campo. A la
derecha,
la alambra-
da electri-
ficada.

Interior del campo. Los primeros detenidos construyeron su propia prisión.

Según Boix, la construcción del campo costó la vida a más de mil detenidos. El campo, semejante a una fortaleza, causaba fuerte impresión.

En la doble página (14-15) que representa la *garagenplatz* puede verse la peculiar arquitectura de Mauthausen: había un campo exterior utilizado por los SS y delimitado por vallas electrificadas de 380 voltios y un campo interior para los presos, que rara vez pisaban los jerarcas nazis.

La frase sobre la **chimenea** que pronuncia Bachmayer (hablaremos de él más adelante) está bien documentada y puede leerse en varias fuentes. En Mauthausen había unos 5.000 SS prestando servicio al mismo tiempo (por el campo pasaron unos 15.000), cifras solo superadas por Auschwitz.

La chimenea del horno crematorio por la cual, según los nazis, debían salir todos los prisioneros del campo.

¡HABÉIS ENTRADO POR LA PUERTA... Y SOLO SALDRÉIS POR LA CHIMENEA!

Miembros de las SS supervisando la alineación de prisioneros rusos llegados recientemente al campo.

EINTRETTEN!
¡A FORMAR!

En estas páginas tiene lugar un proceso bien documentado: primero los deportados aguardaban, a veces durante horas, en el frío del patio, junto al **Klagemauer** o Muro de las Lamentaciones (llamado así por las palizas y torturas que se infligían) y en la **Appelplatz** (patio de revista, donde se contaba a los prisioneros dos veces al día).

Allí sufrían los primeros abusos por parte de los **Kapos** (**K**ammeradschaft **P**olizei o *Funktionshäftling*, presos delincuentes comunes con poder sobre el resto de prisioneros. Su jefe se llamaba Magnus Keeler (apodado **King Kong** por su corpulencia) y era un nazi caído en desgracia.

Tras el patio, los prisioneros eran desnudados, rasurados con una máquina de cuatro ceros, desinfectados químicamente con una sustancia similar a la cal, que escocía fuertemente en la piel, y se les otorgaba un **uniforme**, en muchas ocasiones tomado de otros presos muertos: la idea era restarles su individualidad e infundir miedo.

Prisioneros rusos fotografiados por Ricken.

Tras ser afeitados y desinfectados, los prisioneros, desnudos, permanecían alineados durante horas en la plaza principal: una forma de tortura ampliamente utilizada en el campo.

Detenidos desnudos haciendo ejercicios de gimnasia, una tortura que la malnutrición volvía todavía más penosa.

Abajo: Prisioneros rusos.

Detenidos rusos en fila, esperando su trágico destino.
Los rusos eran particularmente maltratados en Mauthausen.

Acuarela que reproduce una fotografía de prisioneros rusos a su llegada al campo.

Sobre los uniformes, había de varios tipos, pero hemos elegido usar el mismo siempre por razones estéticas y por subrayar su individualidad robada. Delante de cualquier oficial siempre debían saludar y quitarse el gorro o serían castigados violentamente. Solían calzar chanclas de madera; nosotros hemos usado otro tipo de calzado.

La *Himmlerstraße* o *Himmlerstrasse* era una franja de pelo más corto en mitad de la cabeza que permitía identificar a los presos de lejos en caso de fuga, obviamente también como elemento de humillación.

Sobre el triángulo o *winkel*, es uno de los símbolos del Holocausto español: pese a que los republicanos eran en principio apátridas, y a que los ingleses, franceses u otros extranjeros llevaban un triángulo rojo, a los españoles se les dio un signo exclusivo: una "S" de "Spanier" sobre un triángulo azul, símbolo hasta hoy del Holocausto español.

Lo cierto es que la mayor parte de españoles llegaron en un momento temprano al campo, con lo que algunos carpinteros, zapateros, cocineros o mecánicos logra-

ron puestos en **kommandos** o grupos de trabajo más benévolos que les permitieron sobrevivir más tiempo. Eran útiles, mientras que un maestro o un intelectual no tendrían esperanza. Hay que pensar también que los españoles habían pasado por las penurias de la guerra, los campos franceses, los *stalag*... estaban acostumbrados a sufrir.

Cada **barracón** estaba pensado para 200 o 300 personas, pero llegaban a contener más de 800 y hay casos en los que hubo 1.600. Los presos debían dormir juntos, unas tres personas en cada cama. No tenían sábanas, no había calefacción, las ventanas estaban casi siempre abiertas y la estufa solo se encendía en los días más fríos. Y no siempre.

El campo de concentración de Mauthausen-Gusen

Texto de Ralf Lechner
Responsable de colecciones en el Memorial de Mauthausen y comisario de las exposiciones permanentes en el Memorial de Mauthausen y el Memorial de Gusen.

Algunos días después de la anexión de Austria al Tercer Reich en marzo de 1938, las nuevas autoridades anunciaron su intención de construir un campo de concentración en Austria, un "privilegio" según August Eigruber, *Gauleiter*[1] de la Alta Austria. Previendo un gran aumento del número de prisioneros, las SS, que administraban los campos, planeaban habilitar centros de detención adicionales. Paralelamente, el mando de las SS proyectaba iniciarse en la industria de los materiales de construcción. Las SS querían justificar así la ampliación de los campos de concentración y se reservaban el derecho a recurrir exclusivamente a la mano de obra disponible en los campos. Esta actividad económica debía también asegurarle un flujo de ingresos. En abril de 1938, las SS fundaron la *Deutsche Erd- und Steinwerke GmbH* (DESt) con el fin de gestionar la industria concentracionaria de materiales de construcción. Las SS se pusieron a buscar un emplazamiento que pudiera albergar un campo de concentración que les permitiera alcanzar sus objetivos económicos. Finalmente, eligieron Mauthausen y Gusen, debido a su cercanía a canteras de granito. La empresa de las SS iba a entregar materiales de construcción para los edificios y monumentos prestigiosos del Tercer Reich gracias a la explotación de estas canteras por parte de los prisioneros de los campos. El 8 de agosto de 1938, un primer convoy de prisioneros del campo de Dachau llegó a Mauthausen. Los detenidos fueron empleados primero en la construcción del campo. A finales de 1939, se les destinó a la construcción de un segundo campo de concentración en Gusen, a solo unos pocos kilómetros de Mauthausen. Con ese campo anexo, la región disponía de un campo de concentración suplementario de una capacidad similar a la del campo principal de Mauthausen.

Desde el principio, los prisioneros colaboraron en la explotación y ampliación de las canteras. En 1942,

1. Jefe de una provincia nazi.

más de 3.000 de ellos tuvieron que realizar trabajos forzados en condiciones extremadamente penosas en las canteras de Mauthausen y Gusen. Pese a los fines económicos de su tarea, los detenidos no disponían ni de herramientas adaptadas ni de ropas adecuadas, lo que provocó numerosas enfermedades y graves accidentes. Por añadidura, ese duro trabajo se realizaba al ritmo de las incesantes agresiones de los miembros de las SS.

Para estos últimos, la función política del campo fue prioritaria hasta la mitad de la guerra: los prisioneros eran constantemente perseguidos y los adversarios políticos pura y simplemente suprimidos. Durante un tiempo, Mauthausen y Gusen fueron incluso los únicos campos de nivel 3 del sistema concentracionario nazi. En la "jerarquía" de los campos de concentración del Tercer Reich, eso significaba que las condiciones de reclusión eran las más duras, y la mortalidad una de las más elevadas. Se deportaban regularmente a Mauthausen y Gusen grupos de prisioneros bien definidos para suprimirlos sistemáticamente. Así, a partir de 1940, un número incalculable de polacos fueron víctimas de agresiones extremadamente violentas de los SS y fueron condenados a una muerte segura, a causa del extenuante trabajo y la subalimentación. Muchos también fueron asesinados de manera selectiva por inyección de veneno o durante las operaciones "baños de la muerte"[2]. Estos asesinatos, cometidos por igual contra republicanos españoles, judíos o presos comunes, fueron por lo general registrados como "muertes naturales", a las que se atribuían causas ficticias. Numerosos prisioneros también fueron obligados a acercarse a las alambradas para ser luego abatidos por los centinelas de las SS. Dichas ejecuciones eran consideradas tentativas de fuga en los documentos de las SS.

Pero en Mauthausen también hubo ejecuciones oficiales, por orden del alto mando del Reich o de los servicios de seguridad[3]. Algunos prisioneros fueron asesinados en el centro de ejecuciones del castillo de Hartheim, donde murieron asfixiados en el "camión de gas" que hacía el recorrido entre Mauthausen y Gusen. En previsión de una llegada masiva de prisioneros de guerra soviéticos, en el otoño de 1941 se inició la construcción de una cámara de gas en el propio campo de Mauthausen. Al menos 3.455 personas fueron gaseadas con Zyklon B desde la primavera de 1942. En total, alrededor de 10.200 prisioneros fallecieron asfixiados por gas en Mauthausen, Gusen y Hartheim.

DE MAL EN PEOR

A partir de 1942/1943, el trabajo en las canteras se reduce. Poco a poco, se levantan nuevos campos anexos. Al principio, los prisioneros fueron destinados a la construcción de carreteras, centrales hidráulicas, fábricas, etc. Luego, fueron empleados cada vez más en las fábricas de armamento. Fue entonces cuando por primera vez gran número de mujeres fueron deportadas y trasladadas a la red de campos de Mauthausen-Gusen. El trabajo forzado en las plantas de producción de la industria bélica conllevó una mejora de corta duración en las condiciones de detención de los prisioneros. Pero a partir de 1943 los prisioneros tuvieron que construir plantas de producción subterráneas, a resguardo de los ataques aéreos, y sus condiciones de vida de nuevo se degradaron considerablemente. En Gusen y en los grandes campos anexos de Ebensee y Melk, por ejemplo, los prisioneros habilitaron inmensas galerías subterráneas, con riesgo de su salud, incluso de su vida.

Miles de deportados judíos provenientes de los campos de concentración de la Polonia ocupada fueron trasladados a Mauthausen para construir fábricas subterráneas. Su llegada modificó de nuevo la composición de la población reclusa. Aunque originalmente

2. *Badeaktionen.*
3. *Sicherheitspolizei*: policia de seguridad.

Mauthausen y Gusen eran campos de concentración destinados a albergar algunos miles de presos políticos austríacos y alemanes, el número de prisioneros efectivamente detenidos así como su nacionalidad evidencian que estos objetivos no fueron respetados desde el inicio de la guerra. A finales de 1940, alrededor de 8.200 prisioneros estaban detenidos en Mauthausen y Gusen. A finales de 1942, había 14.000 en Mauthausen, Gusen y algunos campos anexos. El 7 de marzo de 1945, el número de prisioneros fue mayor que nunca en Mauthausen y los campos anexos: más de 84.000 detenidos. La víspera de la liberación de los campos de Mauthausen y Gusen así como de los campos anexos todavía en actividad, se contabilizaban alrededor de 65.000 prisioneros (hombres, mujeres y niños). Esta cifra no tiene en cuenta los miles de personas que no fueron registradas en el caos que precedió a la liberación.

En total, la administración de las SS registró prisioneros de más de 40 nacionalidades. La mayoría de los deportados de Mauthausen eran polacos, venían luego los soviéticos y los húngaros. Entre los prisioneros, se contaban igualmente grupos importantes de alemanes y austríacos, franceses, italianos, yugoslavos y españoles.

El número de guardias era proporcional al de prisioneros. La ampliación del campo y el aumento constante del número de prisioneros, a causa principalmente de la construcción de numerosos campos anexos en la red de campos de Mauthausen-Gusen, conllevaron un aumento del número de guardias. A finales de 1942, los cerca de 14.000 prisioneros eran vigilados por 1.200 miembros de las SS. En abril de 1945, la vigilancia del campo estaba en manos de 6.000 hombres de las SS, que eran miembros de la Luftwaffe, la marina u otras unidades de la Wehrmacht, y por 65 mujeres encargadas de vigilar a las prisioneras.

En total, alrededor de 190.000 personas fueron deportadas a Mauthausen entre la construcción del campo en agosto 1938 y su liberación por el ejército estadounidense en mayo de 1945.

Miles de prisioneros fueron salvajemente asesinados. La mayoría de los detenidos murieron a consecuencia de la explotación sin escrúpulos de la mano de obra y de los malos tratos sufridos, así como de la falta de comida, ropa apropiada y atención médica. En total, al menos 90.000 prisioneros perdieron la vida en Mauthausen, Gusen y los campos anexos, la mitad de ellos en los meses que precedieron a la liberación.

Ralf Lechner

Vista general de la cantera de Mauthausen.

La escalera de 186 escalones, construida por españoles, símbolo del sufrimiento en Mauthausen.

LA CANTERA

Uno de los destinos casi inevitables para cualquier preso a su llegada era la cantera cercana al campo, de granito de sílex, llamada **Wiener Graben**. De ella se extraía la piedra para edificar el campo y para la industria local, llegando a ser la cantera más rentable del Tercer Reich.

Trabajaban en ella de 54 a 60 horas semanales, con un sucedáneo de café aguado por la mañana, una sopa ligera a mediodía y unos gramos de pan y salchichón por la noche; una comida nutricionalmente insuficiente e invariable durante años: la media de peso entre los presos era de 40 kilos.

Su símbolo es la famosa **escalera de 186 escalones**, construida por españoles y muy peligrosa al subirla y bajarla con las suelas de madera, ya que resbalaba mucho. Tenia piedras sueltas aposta, para matar a todos los presos posibles: unido a la alimenta-

ción insuficiente, el trabajo duro, las enfermedades y el agotamiento, el trabajo era el medio de exterminio oficial en Mauthausen.

Los presos debían cargar grandes **piedras** a la espalda con una silleta o trague, y todos ellos debían subir una al terminar el día de trabajo. En muchas ocasiones caían unos sobre los otros y morían aplastados por la avalancha humana y de rocas.

Esto se acentuaba en el llamado "**período de cuarentena**", en que se seleccionaba a los presos en función de su fuerza: debían subir y bajar piedras siete u ocho veces; los que lo pasaban, eran aceptados. También se usaba como castigo para la llamada *Strafkompanie*, que debía subir y bajar piedras constantemente hasta la muerte o ejecución por agotamiento.

Prisioneros subiendo la escalera. No cuesta imaginar el riesgo que corrían los deportados cuando uno de ellos se caía, lo que sucedía con frecuencia.

Vista aérea de la cantera.

Otro de los símbolos de la cantera era la "Roca Tarpeya", "Muro de los paracaidistas" o *Fallschirmspringerwände*, una roca con un desplome de cuarenta metros que se usaba como lugar de ejecución por defenestración. También se lanzaban ocasionalmente suicidas que, según los testigos, lo hacían con una serenidad y tranquilidad pasmosas.

El encargado de la cantera era el sargento (*SS-Hauptscharführer*) llamado Hans **Spatzenegger**, al que los presos apodaban "Drácula" por su rostro y delgadez. Era un antiguo trabajador del metal de Laufen, con mujer y cinco hijos, que se unió a las SS en 1931 y en el 34 ya estaba trabajando en Dachau. Era uno de los SS más temidos: los presos bajo su mando morían literalmente a carretadas y los testigos dicen que hacía cosas como desnudar a prisioneros a temperaturas de 20 grados bajo cero, dejándoles yacer sobre el cemento hasta morir congelados. Fue colgado en 1947 tras los "Juicios de Mauthausen" en Dachau.

La anécdota en la que un preso pega a otro para salvarle de la muerte no fue protagonizada por Boix, pero está basada en varios hechos documentados: varios presos recuerdan cómo un superior u otros les salvaron la vida al golpearles para aplacar a los SS o *kapos*; por ejemplo, Luis Estañ al hablar del polémico kapo español César Orquín.

El temido jefe de la cantera, Spatzenegger, apodado "el vampiro" en el proceso de Dachau.

LOS *PROMINENTEN*, LOS DETENIDOS EN PUESTOS DE RESPONSABILIDAD

Una de las pocas ventajas que tuvieron los españoles al llegar al campo tan pronto, fue que algunos pudieron hacerse con puestos de responsabilidad que les aseguraban mejor alimentación y posibilidades de supervivencia: eran los **Prominenten** o "enchufados".

Vivían en la **barraca 2** y como obreros, tenían sentido de grupo y su moral era más alta, eran secretarios, barberos, músicos, carpinteros... y vivían más porque los nazis les consideraban útiles.

Esto mismo también sirvió para que pudieran **coordinarse** y realizar actividades como robos (que llamaban "organizar"); aunque atendían a las normas, las vulneraban, se aprovechaban de la corrupción de los guardias, situaban contactos en puestos de influencia, creaban rumores para confundir a sus captores... A partir de 1943 y con la llegada de presos de otras nacionalidades, entre ellos resistentes extranjeros, obtienen más información y redoblan su moral.

Boix entró en el barracón tras su incorporación al servicio de fotografía. En cualquier caso, está documentado que, durante su pertenencia a los Prominenten, **Boix** consiguió usar su influencia para dar puestos de trabajo a desfavorecidos, salvando la vida a algunos de ellos. También se recuerda su habilidad para ganarse la confianza de los SS y pese a ello ser un ladrón consumado.

Es necesario entender que como **Prominenten** los protagonistas de nuestra historia tuvieron más oportunidades de sobrevivir que los demás, y no representan el destino o vida del preso medio de Mauthausen: los que no eran asesinados al llegar podían llegar a vivir entre seis meses y un año en condiciones infrahumanas, y pocos han sobrevivido para contarlo.

Carlos Greykey, prisionero español, utilizado por los SS como camarero debido al color de su piel.

BIENVENIDO A LA BARRACA 2, CAMARADA CATALÁN.

LAS FOTOS DE PAUL RICKEN

EL *ERKENNUNGSDIENST*, EL SERVICIO DE IDENTIFICACIÓN

Boix, cuyo padre practicaba la **fotografía** y él mismo fue ducho en la materia desde pequeño, consiguió entrar a trabajar en el "Servicio de Identificación" o *Erkennungsdienst*, que dependía de la Gestapo y la *Politische Abteilung*.

Su misión era **documentar** gráficamente la entrada y salida de deportados, aunque también hacía otros trabajos privados de retrato para soldados u oficiales.

Sin embargo, como puede apreciarse, el *Erkennungdienst* también tomaba fotos de cada preso muerto en circunstancias dudosas, asesinatos que pasaban por ejecuciones o suicidios, etc. De cada foto se hacían 5 copias; una quedaba en el campo y las demás se enviaban a distintos archivos. El primer preso que decidió sacar una sexta copia y guardarla fue polaco: **Stefan Grabowski**. Los españoles decidieron continuar esta costumbre.

Fotografía de grupo de los SS de Mauthausen tomada en la *Garagenplatz*.

Derecha: Oficial de las SS del campo. Una de las fotografías privadas realizadas en el *Erkennungsdienst*.

Izquierda: Oficial de las SS. Se trataba a veces de fotografías de recuerdo o de fotografías enviadas a amigos o a la familia.

Franz Ziereis, comandante del campo.

Las **fotografías de presos** que sorprenden a Boix eran montajes teatrales en los que nadie les agredía ni parecían enfermos o débiles: se usaban para ofrecerles como mano de obra esclava a empresas locales, lo que daba grandes beneficios a las SS.

Como en todos los *kommandos*, era dirigido por un SS que supervisaba el trabajo. Aunque en Mauthausen hubo varios, como Hermann Schinlauer (que al parecer apreciaba particularmente a Boix), hemos elegido a Ricken como representante de todos.

Arriba: Miembros de las SS tomando el sol durante una pausa.

Montaje con fines publicitarios: los prisioneros parecen bien alimentados y tratados, una fotografía que no reflejaba en absoluto la realidad.

Sobre estas líneas: Autorretrato de Ricken en la nieve, con uniforme de suboficial.

Paul Ricken había sido profesor de enseñanza media, y se le consideraba obsesivo, intolerante, nervioso, de trato difícil y con extrañas obsesiones, como veremos más adelante. Apreciaba a Boix por su buen trabajo y sensibilidad artística. Tras la liberación del campo, fue detenido, juzgado... y liberado años después. El lector encontrará la información ampliada sobre Ricken en el texto de Gregor Holzinger.

Paul Ricken, jefe del *Erkennungsdienst*.

LAS MANERAS DE MORIR EN MAUTHAUSEN

Al contrario de lo que suele pensarse, Boix no debió de tomar ninguna de las **fotografías** de los presos asesinados; sino sus jefes. En concreto puede distinguirse la mano de Ricken, que solía buscar ángulos y composiciones casi artísticas, mostrando una vez más su extraño carácter y aparente fascinación por la muerte. Era probable que incluso moviera cadáveres para "mejorar" una foto.

Es más posible, y por ello lo hemos narrado así, que Boix le acompañara con el **equipo y las luces**. Una licencia que nos hemos tomado es que no todos los presos asesinados eran fotografiados:

por ejemplo, las ejecuciones (fusilamientos) y las muertes que tenían lugar en la enfermería (envenenamientos o inyecciones de gasolina en el corazón) podían no ser fotografiadas; sin embargo, por razones narrativas hemos elegido mostrar a Boix presente en todas estas situaciones. Era común que sí se fotografiaran los "intentos de fuga" (por ejemplo, se ordenaba a un preso ir a recoger fresas o se lanzaba su gorro más allá de la valla y se le disparaba tan pronto se alejaba), los "suicidios" (se le daba a un preso la opción de colgarse de un cordón o ser asesinado de una paliza), etcétera. El dato de las "maneras de morir en Mauthausen" es real.

Detenidos muertos, oficialmente durante "tentativas de fuga", término tras el cual en realidad se encubrían ejecuciones. El encuadre y la búsqueda ostensible de una "estética de la muerte" indican que el autor de estas fotografías debió de ser Paul Ricken.

Detenidos muertos.

Hay que recordar, a efectos históricos, que aunque la forma de exterminio "oficial" de Mauthausen era el trabajo, en el campo también hubo una **cámara de gas**, operativa en 1942. Ser enviado a Gusen también era en la práctica una condena de muerte, lo mismo que al cercano castillo de Hartheim. En el texto de Ralf Lechner el lector encontrará más información al respecto.

Detenido muerto.

PERMISO ESPECIAL

En estas páginas tiene lugar también la **única escena totalmente ficticia** y no basada en hechos reales del álbum: la salida del campo de Francisco para acompañar a Ricken. Sin ser del todo descabellada (había presos, como los "Poschacher", con libertad de movimientos fuera del campo y que vestían de civil), es nuestra manera de cerrar una trama y de buscar una explicación a las extrañas fotografías de Ricken, posando vestido de civil como si fuese un preso muerto, que el mismo Boix comentó en sus copias de forma manuscrita.

Una fotografía extraña e inexplicable: un autorretrato de Ricken (aunque la instantánea pudo ser tomada por otra persona). Vestido de civil, reproduce la posición de los cadáveres de prisioneros que fotografiaba. Hemos intentado imaginar, en la novela gráfica, lo que podía significar esta instantánea.

Paul Ricken y el servicio de identificación de la sección política del campo de concentración de Mauthausen

Texto de Gregor Holzinger
Historiador, miembro del centro de investigación del Memorial de Mauthausen, experto en investigación sobre los responsables de crímenes de guerra, autor de numerosas publicaciones sobre el tema.

Prefacio

Aunque la mayoría de los hechos relatados en las páginas de este cómic se inscriben en una realidad tristemente célebre, el personaje de Paul Ricken parece, por su parte, escapar de esta realidad, de tal modo lo creeríamos nacido de la imaginación del guionista. Y, sin embargo, cada página que lo pone en escena está demostrada históricamente. Artista demente, mistificador encargado de hacer pasar los asesinatos por accidentes, zelote del III Reich... el hombre era todo eso a la vez.

Antoine Maurel, editor de la edición francesa

Paul Ricken nació el 27 de junio de 1892 en Duisbourg, Alemania. Tras sus estudios, en las décadas de los años 20 y 30, impartió educación artística en el instituto técnico para chicos de Essen-Bredeney. Él mismo era artista, como muestra la publicación de sus dibujos y litografías.

El movimiento nazi que emergía en la época le fascinaba: compartía con los nazis no solo su concepción del arte, sino también su entusiasmo por los mitos germánicos que instrumentalizaban para sus propios fines. Un antiguo detenido "funcionario" [4] del campo de concentración de Mauthausen declaró que a Ricken le apasionaban "las visiones de Odín —el rey de los dioses—, los antiguos pueblos germánicos y las pieles de oso".

Seducido por la ideología nazi y apasionado de la política, Ricken se convirtió en miembro del Partido Nacionalsocialista Obrero Alemán (NSDAP [5]) el 1 de febrero de 1932, es decir, un año antes de la toma del poder por los nazis. Buen jinete, fue enrolado en la unidad montada SS [6], donde fue, según sus propias afirmaciones, profesor y responsable de las clases y los exámenes, así como de organizar el tiempo libre. En una foto de la época, se le puede ver llevando botas y un pantalón de equitación, y exhibiendo una pose militar entre sus colegas masculinos del instituto técnico de Essen-Bredeney, vestidos de simple traje.

En el archivo de la Asociación Nazi de Docentes, Ricken aparece registrado como miembro del *Kraftfahrkorps*, el cuerpo del ejército de transporte nazi. Fue instructor en la unidad motorizada 73, estacionada en Essen. Sin embargo, hasta el inicio de la guerra, su actividad principal consistía en enseñar arte en un instituto de Essen. Miembro de las SS, el 1 de septiembre de 1939 fue destacado al campo de Mauthausen en calidad de *Rottenführer* [6]. Durante un semestre, fue tesorero de la compañía de guardias y responsable del pago de las soldadas en el *Kommandantur* [7]. Gracias, según él,

4. *Funktionshäftling*, detenido al cual las SS confiaban determinadas tareas de vigilancia y supervisión del trabajo forzado o incluso trabajos administrativos.
5. *Nationalsozialistische Deutsche Arbeiterpartei*.
6. Cabo-jefe.
7. Puesto de mando.

a sus competencias técnicas en el ámbito de la fotografía, comenzó a trabajar para el servicio de identificación de la sección política, la "Gestapo del campo", en marzo de 1940. Tanto los prisioneros como los miembros de las SS y los dignatarios nazis que visitaron el campo fueron fotografiados en ese contexto. También se recopilaban las fotografías de las ampliaciones del campo. Ricken trabajó hasta 1943 bajo el mando del *Oberscharführer* de las SS Friedrich Kornacz. Cuando este último fue enviado al frente, Ricken fue ascendido a jefe del servicio de identificación. Describía sus actividades como sigue: "Mis tareas en el servicio de identificación consistían entre otras cosas en completar los formularios de identificación de los prisioneros y fotografiar a los prisioneros fallecidos de muerte no natural o las intervenciones médicas y sus resultados para el médico de las SS local".

En la jerga de las SS, "las muertes no naturales" eran de hecho accidentes, suicidios o, en la mayoría de casos, lo que se llamaban "ejecuciones durante tentativa de fuga". Mientras que las ejecuciones oficiales se hacían constar en un pulcro "registro de ejecuciones", la sección política llevaba otros dos registros dedicados a las "muertes no naturales", en los que, como afirmaron numerosos testigos oculares, se falsificaron un elevado número de causas de fallecimiento y se camuflaron ejecuciones masivas selectivas y otros excesos violentos. Cada "muerte no natural" debía ser objeto de una investigación en profundidad según un procedimiento oficial bien establecido: el servicio de identificación hacía fotos del muerto y croquis del lugar del deceso. El juez del tribunal de las SS y la sección política escuchaban a los testigos. En caso de "ejecución durante una tentativa de fuga", el soldado que había disparado también era escuchado. Estas etapas se registraban en los informes. Finalmente, el médico de las SS local o el médico del campo hacía la autopsia del cuerpo y redactaba un informe de autopsia y un acta de defunción. Estos documentos eran luego transmitidos al tribunal de las SS y al tribunal de policía de Viena, donde el caso era estudiado de nuevo a fin de determinar si debía abrirse un procedimiento de inculpación por homicidio voluntario contra el SS incriminado, lo que evidentemente no sucedía jamás.

En realidad, las "investigaciones" tenían poco que ver con el procedimiento arriba descrito. Así, tras cada "ejecución durante una tentativa de fuga", en la cual el prisionero la mayoría de veces había sido empujado hacia los muros del recinto del campo o había sido ejecutado durante una puesta en escena similar, se informaba al servicio de identificación, a fin de que pudiera tomar fotos. Cuando la posición del cuerpo de los prisioneros asesinados no se correspondía con una tentativa de fuga, a menudo esta era "corregida". De hecho, varios testigos contaron durante el proceso a Ricken que este modificaba la posición de los cuerpos a fin de aparentar una fuga. Actuaba del mismo modo con los supuestos suicidas: Ricken colocaba a los prisioneros asesinados por los miembros de las SS o los *kapos* en una postura que hacía creíble la tesis del suicidio.

Las fotos que tomaba Ricken son notables desde varios puntos de vista: aparte de aspectos técnicos como la exposición, el foco, etc., parecían estar hechas con vocación artística. En efecto, se mostraba particularmente atento a la composición de la imagen y la perspectiva, y hacía de cada instantánea una pequeña obra de arte, como si inmortalizara la belleza de la naturaleza en lugar de cadáveres.

Un antiguo prisionero declaró durante el proceso a Ricken que, según él, este último presentaba un trastorno de la personalidad, y lo tildó de monomaníaco. Una foto de 1942 efectuada con retardador que representa a Ricken yacente con traje y corbata sobre una pradera tiende a apoyar la teoría de la "inestabilidad mental". Francisco Boix escribió en el dorso de esta foto: "El suboficial de las SS Paul Ricken, autor de estos documentos y jefe del servicio de identificación [...] descansa en la inmensidad de la naturaleza y se hace fotografiar tal y como fotografía a las personas asesinadas de toda clase de nacionalidades".

En la época en la que trabajaba para el servicio de identificación, Ricken estuvo también activo en el ámbito cultural y en cierto modo continuó enseñando. Por ejemplo, en 1941, hizo una presentación sobre "las formaciones rocosas del bosque de Teutberg [8], un enclave de referencia de la cultura germánica", en el marco de un ciclo de actividades organizado por la Asociación de Museos de la Alta Austria. No sabemos sin embargo si presentó conferencias ante un público compuesto de miembros de las SS.

En febrero de 1944, Ricken, convertido entretanto en *Hauptscharführer*, fue transferido al campo anexo de Leibnitz, donde desempeñó en situación de interinidad el cargo de jefe de campo. Ricken declaró durante su proceso que Fritz Miroff había seguido siendo el jefe del campo de Leibnitz tras su traslado al campo externo de Peggau en agosto de 1944. Pero, en realidad, Ricken asumió caramente esa función. Según las declaraciones de Ricken en 1946, su tarea consistía principalmente en "mantener el orden entre los prisioneros en el campo y la fábrica de armamento", lo que, en realidad, equivalía a intimidar, humillar y maltratar a los detenidos y a perpetrar asesinatos que, a menudo, fueron disfrazados de suicidios o tentativas de fuga. En el campo de concentración de Leibnitz, los prisioneros tuvieron que realizar trabajos forzados por cuenta de la industria de guerra alemana en condiciones extremadamente penosas en plantas de producción subterráneas. La llegada inminente del Ejército rojo en la primavera de 1945 precipitó el cierre del campo: fue abandonado el 2 de abril del mismo año. Tras el cierre del campo, Ricken guió la "marcha de la muerte" que debía conducir a los cerca de 500 prisio-

neros todavía recluidos en Leibnitz hacia el campo de concentración de Ebensee. Durante esta marcha, los numerosos prisioneros que ya no eran capaces de caminar fueron ejecutados.

Tras la guerra, Ricken logró pasar a Alemania y fue finalmente detenido en diciembre de 1945 en los alrededores de Bielefeld, en la zona de ocupación británica. Fue conducido al campo de internamiento de Recklinghausen, donde estuvo encarcelado hasta agosto de 1946. A continuación fue entregado a las autoridades estadounidenses y trasladado al campo de Dachau, convertido tras la guerra en campo de internamiento. Ricken fue inculpado en los procesos de Mauthausen que tuvieron lugar en Dachau.

Durante su proceso, Ricken, como era de esperar, negó haber trucado nunca fotografías de "muertes no naturales" y declaró no saber nada sobre los asesinatos cometidos durante la "marcha de la muerte" entre Leibnitz y Ebensee.

De todos modos, la estrategia de defensa de Ricken solo obtuvo un éxito limitado: ciertamente, se libró de la pena de muerte, pero en cualquier caso fue condenado a prisión perpetua. En 1951, le fue denegada la reducción de pena a 20 años que había solicitado. Sin embargo, Ricken fue liberado anticipadamente de la fortaleza de Landsberg el 29 de noviembre de 1954. Como evidentemente le fue imposible conseguir un puesto en la enseñanza, trabajó como asesor de *marketing* en Düsseldorf. Ricken todavía testificó en el marco de la investigación sobre Karl Schulz, el jefe de la sección política del campo de concentración de Mauthausen, pero murió el 24 de octubre de 1964 en Düsseldorf, antes incluso del inicio del proceso contra Schulz.

Gregor Holzinger

8. *Teutoburger Wald.*

DESINFECCIÓN Y RESISTENCIA

Fue el 21 de junio 1941 cuando todo el campo se puso en **cuarentena** por un brote de tifus, y ese mismo día, a las 11, anunciaron la ofensiva alemana contra Rusia.

Se realizó una **desinfección general** en la *garagenplatz* en la que todos los presos fueron reunidos, y desnudos y a la intemperie, mezclados enfermos con sanos, llegaron a estar juntos unos 4.000. Unos 150 murieron ese día.

Hay que tener en cuenta que las condiciones sanitarias eran *infrahumanas*, pero aun así, los guardias castigaban con una

paliza al preso que tenía piojos o parásitos, algo a todas luces imposible de evitar.

La dificultad para controlar a todos los presos facilitó que pudieran conspirar y crear el embrión de la **organización clandestina de presos**. De allí salió especialmente el embrión de una organización política comunista que fue la única hasta 1943. En 1944 los presos crearon el Comité de Unidad Nacional (con presos del PCE, CNT y PSOE) y luego se fundó el AMI (Aparato Militar Internacional), crucial durante la liberación.

Desinfección general en Mauthausen. Esta jornada fue decisiva, ya que permitió a los prisioneros organizarse.

LA ORGANIZACIÓN DEL ROBO

Con respecto al **proceso del robo**, fue mucho más amplio y complejo de lo que podemos retratar aquí, y muchos detalles no son conocidos ni para muchos de los presos, por el secretismo con que se llevó a cabo la operación.

Por ello, para **recrearlo** y resumirlo nos hemos basado libremente en el método explicado por Mariano Constante. No es la única versión, pero sí la más conocida. Dado lo poco que se sabe sobre el tema, hemos ficcionalizado gran parte del proceso.

El **sobre** o los paquetes utilizados seguramente serían diferentes y ocasionalmente más voluminosos, o de diferente material, como por ejemplo, trozos de periódico, pero hemos usado siempre el mismo tipo y tamaño por razones de claridad.

El tristemente célebre horno crematorio del campo (en el que se aprecian restos humanos, en esta foto tomada cuando la Liberación) fue un elemento esencial del plan de Boix.

GEORG BACHMAYER

En esta escena toma todo su protagonismo **Georg Bachmayer** (*Schutzhaftlagerführer*), otro de los SS más temidos del campo. Apodado por los presos "el gitano" o "el negro", este, al parecer, antiguo zapatero utilizaba para sembrar el terror a "Lord", un cruce de dóberman y gran danés entrenado para atacar a los presos y arrancarles los genitales a bocados. No había salvación posible: el perro era enorme y los presos estaban demasiado debilitados para defenderse.

En el lado izquierdo: Georg Bachmayer, jefe del campo central.

Arriba: Georg Bachmayer (en la izquierda).

LOS *POCHACAS*, JÓVENES MIEMBROS DEL *KOMMANDO POSCHACHER*

Una vez obtenida una cantidad sustancial de fotos, y ante el riesgo de ser descubiertos, se pone en marcha un **segundo plan** para sacarlas del campo, que tuvo lugar en varias fases; de nuevo, por claridad, representamos una de ellas.

Fue protagonizada por los llamados "pochacas", **españolismo** de "**kommando Poschacher**", nombre de la empresa de granito local (aún existente)

donde un grupo de 42 presos (muchos de ellos adolescentes, de ahí el personaje de Mateu, aunque él y sus compañeros parezcan más aniñados) salía todos los días del campo para trabajar, y llegaron a vivir en un régimen de semilibertad.

Eduardo Frías Gallardo.

Félix Quesada Herrerías.

Manuel Gutiérrez Souza.

Rafael Álvarez López.

EL PARTIDO DE FÚTBOL

El día del **partido de fútbol** tuvo una importancia especial, pues varios presos sacaron sobres y fotos escondidas en zapatillas deportivas, que dieron a los "Poschacher" durante el partido, y ellos luego efectivamente crearon una línea visual para pasárselos y ocultarlos, de forma que

luego pudieran recuperarlos. Este proceso, también narrado por Constante, lo hemos resumido con el personaje ficticio de Mateu. Boix, al parecer, se lo pidió personalmente, ya que algunos eran de las JSU. Parte de las fotos salieron en tres paquetes; algunas se las dieron a Frau Pointner y otras las guardaron en una barraca de material; el resto quedaron ocultas en el campo hasta el día de la Liberación.

LA VISITA DE HIMMLER

Himmler a su llegada al campo.

De entre todas las fotos guardadas, la visita de Himmler fue obviamente auténtica y fue la clave para lograr, entre otras, la condena de Ernst Kaltenbrunner, sucesor de Heydrich a la cabeza de la RSHA (Reichssicherheitshautpamt, la Oficina Central de Seguridad del Reich).

Derecha: acuarela.

Himmler y sus hombres subiendo la terrible escalera que costó la vida a tantos hombres.

Ernst Kaltenbrunner, el mayor responsable de la RSHA (en la izquierda; su cicatriz del rostro es claramente visible), Himmler (en el centro) y Ziereis (en la derecha) visitando el campo.

Arriba: Acuarela de Himmler y sus hombres riendo.

Arriba: Himmler y sus hombres de vuelta de la cantera, dirigiéndose hacia el campo central.

Himmler y sus hombres visitando el campo central. Estas fotografías permitieron demostrar que Himmler había estado en Mauthausen y que sabía qué pasaba allí.

Himmler y sus hombres de vuelta al campo, probablemente tras haber visitado la cantera.

Sobre estas líneas: Algunos prisioneros, entre ellos el francés Pierre Serge Choumoff (el hombre que lleva un trozo de tejido a rayas en la espalda), tirando del águila, símbolo de la dominación nazi, para hacerla caer.

Autorretrato de Francisco como reportero de guerra después de la Liberación.

A partir del 44, los alemanes empiezan a temer por la **derrota** y las condiciones de vida de los presos empeoran. Las raciones de comida se reducen, la sopa es más clara y el pan contiene mayor cantidad de serrín. En el campo aumenta la presencia de la Wehrmacht y los nazis son relegados progresivamente: querían ser capturados en el frente para tratar de evitar ser culpados de las atrocidades cometidas en el campo.

Los presos también temen que haya un **exterminio masivo**, o que les envenenen, por lo que empiezan a pensar en organizar una rebelión en caso de desplazamiento masivo o aniquilación: se organizan en grupos de comunistas, socialistas y cenetistas.

Poco después, llegan a oírse los cañones del cercano frente, con lo que **los SS huyen**. El 3 de mayo Ziereis deja al mando al capitán de policía Kern y su unidad de aterrorizados bomberos locales y viejos reclutas del *Volks-turm*, la milicia creada en 1944 por Hitler que movilizó a cualquier hombre útil de 16 a 60 años, que se rindieron a los presos poco después, el día 4.

Los presos **toman el campo** y hacen justicia matando a varios delatores, kapos y guardias, y otros como Bachmayer optan por el suicidio por arma de fuego junto a su familia, a la que asesina (les hemos representado en casa, en realidad murieron tratando de huir). Se desconoce qué ocurrió con "Lord".

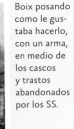

Boix posando como le gustaba hacerlo, con un arma, en medio de los cascos y trastos abandonados por los SS.

Boix, tras la Liberación, con su máquina colgándole del cuello y su compañero Jesús Grau.

Deportados españoles posando con una bandera republicana sobre la l'*Appellplatz*.

Acuarela que reproduce una fotografía de prisioneros enfermos o heridos en el hospital militar estadounidense de Gusen. Aunque ha sido reproducida a menudo en obras sobre el Holocausto, la fotografía raramente es atribuida a Boix.

Es entonces, por fin, cuando **Boix se hace con la cámara Leica** que quedó olvidada en el Erkennungdienst. Todas las fotos, a partir de aquí, pueden considerarse de su autoría, incluyendo algunas que han aparecido repetidamente en decenas de libros sobre el Holocausto sin citar su nombre: presos famélicos, presas obligadas a prostituirse, la llegada de los reporteros americanos...

Poco después, y por casualidad, algunos **tanquistas americanos** descubren el campo. Al ser algunos de origen hispano, pueden comunicarse con los españoles; en concreto les encuentra una unidad del 41° Escuadrón de Caballería, bajo el mando del sargento **Albert J. Kosiek**, parte de la 11ª División Acorazada del Ejército norteamericano (apodada Thunderbolt).

La liberación tiene lugar y los presos realizan la icónica **banderola** con la que dan la bienvenida a las tropas aliadas. Días después tomó el mando el coronel **R.R. Seibel**, que obligó a los presos a entregar las armas: como comunistas, les consideraba peligrosos.

Derecha: Boix poco después de la Liberación.

Abajo: Un tanque estadounidense entrando en el campo para liberarlo (probablemente el 5 de mayo de 1945).

Franz Ziereis, originario de Múnich y comandante del campo, llamado "el pavo" o "el pavero" por su arrogancia, era un hombre cruel que inventaba torturas, presidía ejecuciones y asesinaba personalmente con un tiro en la nuca. Apenas sabía leer ni escribir. Su lema era que en Mauthausen ningún subalterno podía tener las manos limpias de sangre. Era alcohólico. Su mujer y sus hijos, Ida, Gunther y Siegfried, era tan crueles como él y provocaron la muerte de muchos presos: Siegfried reconoció haber matado personalmente a entre quince y veinte de ellos. Ziereis fue muy valorado por Himmler y llegaría a ser coronel. Antes de la Liberación intentó escapar y recibió un disparo que le dejó malherido. Fue interrogado en su agonía y Boix estuvo presente, y retrató mediante fotografías el momento. Ziereis trató de restar peso a su papel en la matanza diciendo incluso que Berlín le había amonestado por la baja tasa de ejecutados, y parece ser que fue en este momento cuando pronunció su famosa frase: "Los españoles eran los más difíciles de matar". Murió rato después, el día 24; al parecer, sus últimas palabras fueron "solo soy un carpintero".

Es entonces también cuando Boix y otros presos visitan a **Anna Pointner**, la viuda antifascista de un antiguo izquierdista alemán ejecutado, a quien los "Poschacher" decidieron confiar el paquete con las fotos. Ella primero lo escondió en su sótano, después en un muro al lado de su casa, con evidente riesgo por su parte.

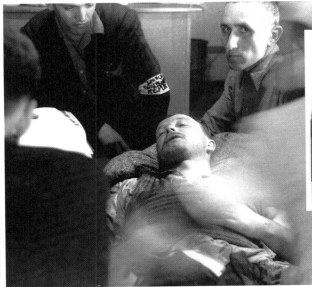

Ricken en 1947. Tras su arresto, fue juzgado en Dachau. Aunque condenado a cadena perpetua, fue liberado en los años 50.

Tras resultar herido mientras intentaba huir, Ziereis fue interrogado. Este interrogatorio fue fotografiado por Boix, que aparece en el fondo de la imagen.

Boix, tras la Liberación, posando sobre un carro de combate inutilizado.

Arriba: Acuarela que reproduce una foto de los periodistas estadounidenses reunidos para escribir sus crónicas sobre el campo.

Izquierda: Foto de Boix y sus amigos ante la casa de Anna Pointner.

Los deportados españoles: el retorno imposible

Texto de Rosa Torán

Al abrirse las puertas de los campos, fuera por las tropas del Ejército rojo o de los aliados, los republicanos supervivientes comprobaron su orfandad. Ningún país les reclamaba, nadie les acogería como luchadores, nadie curaría su cuerpo y su alma. Tardaron varias semanas en poder acogerse a la protección que entonces Francia les ofrecía, y allí se dirigieron la gran mayoría de ellos, sin saber las distintas suertes que el destino les depararía y conscientes de la provisionalidad de su situación. Aproximadamente hasta 1947, creyeron que el regreso a su país, el reencuentro con su família, sería posible, siempre que los aliados decidieran poner fin al régimen nazifascista de España. Pero sus esperanzas se vieron frustradas al comprobar que los países que habían derrotado al nazismo perdonaban a Franco sus pecados, en aras del nuevo equilibrio político diseñado para Europa. La Guerra Fría se cobraba, así, otras víctimas, los republicanos que fueron obligados a renunciar a sus expectativas de regresar a una España, libres de nuevo, y a plantearse su futuro desde nuevas perspectivas.

En algunos casos, búsqueda de un nuevo comienzo en América, y para los más, reencuentros definitivos con las familias en Francia o en Andorra o enraizarse en el país de acogida con progresivos matrimonios. Nueva lengua, nuevo trabajo, nueva familia... ya con el convencimiento de que la Dictadura de Franco les impediría su regreso con normalidad. Pero los pocos que optaron por volver a su lugar de origen, por razones de salud, familiares, añoranza... no se ahorraron todo tipo de penalidades. A los controles policiales, penalizaciones y restricciones, se sumaron el silencio y la ignorancia, además de la obligada negación de la experiencia para proteger a las familias, siempre atentos a escapar a los largos brazos de la represión. Mientras otros supervivientes recibían curas médicas y atenciones de las propias administraciones, en España ni tan solo podían expresar en público la ignominia sufrida en los campos, quedando reducido al ámbito familiar o de amigos el relato de la experiencia vivida. En 1962, se tejieron los primeros hilos para formar una asociación, la Amical de Mauthausen y otros campos, que amparase a los supervivientes, viudas y huérfanos, y reiteradamente se negó su legalización, que no llegó hasta 1978. Se ejemplificaba, de este modo, la división entre vencedores y vencidos, uno de los ejes básicos de la política durante el franquismo, y la condena de los antiguos deportados se prolongó durante décadas. Los que permanecieron en Francia y otros países tuvieron que renunciar a sus expectativas e iniciar una nueva vida; para los que optaron por el regreso, silencio y humillación.

El exilio republicano significó la pérdida de un singular patrimonio político, intelectual y cultural, privando a España de las energías renovadoras de los años treinta, con secuelas que llegan hasta nuestros días. Y la liberación de los deportados, culminada en el campo de Mauthausen el 5 de mayo de 1945, no significó la libertad para los republicanos, a los que no tan solo se les privó de su condición en su propio país, sino que quedaron sumidos en la frustración, obligados a renunciar a sus expectativas de regresar libres a un país libre.

Rosa Torán

EXILIO PARISINO

Tras ser liberados, los presos de todas las nacionalidades **vuelven** a sus países, pero los españoles no tienen a dónde regresar. Es la razón por la que Boix pasa sus últimos años en París, como tantos otros compatriotas.

Muchas otras **historias** comienzan aquí, historias que no caben en este álbum pero que queremos recordar que existieron: las de cientos de personas que tuvieron que a adaptarse a una nueva realidad, país, lengua... sufriendo en ocasiones rechazo y en otras solidaridad. Muchos intentaron volver a sus casas y fueron asesinados por ello: España, no lo olvidemos, seguía siendo aliada de Hitler aunque este hubiese muerto y lo sería hasta finales de los años 70. Durante años los antiguos presos sufrirían las secuelas físicas y psicológicas de la guerra, así como el silencio y el rechazo de los suyos: cuando contaban sus historias, incluso familia y amigos se negaban a creerles y pensaban que exageraban sus historias y sufrimientos. Algunos compañeros, SS y kapos vivirían por el

Boix (F.B. en la foto) ejerciendo su oficio de fotógrafo durante una manifestación antifranquista en la plaza de la Ópera de París.

resto de su vida en sus pesadillas. Otros se suicidaron por no poder soportarlo. El lector encontrará una ampliación de este tema en el texto de Daniel Simon.

La mayor parte de ellos, en cualquier caso, acuden a **Francia** ya que no en vano habían sido capturados en ese territorio y con uniforme francés, por lo que el gobierno, por las presiones de los excombatientes franceses (que juraron solemnemente ayudar a los españoles) y de la opinión pública terminaron consiguiendo ayudas gubernamentales. Estas ayudas se ampliaron en 2004 a las viudas y huérfanos de deportados; ayudas libres de impuestos en Francia... y que sí que los pagan en España, con lo que nuestro estado aún les quita parte de la indemnización por el sufrimiento que, en primera instancia, les causó.

Arriba: Varios deportados españoles en marcha hacia París en un camión estadounidense, con el puño levantado.

Derecha: Deportados españoles a punto de salir hacia París.

Boix, sin duda durante un picnic, tras la Liberación.

Derecha: Boix en París, 1945.

Abajo: Boix en París, noviembre de 1945. En la nota manuscrita, se puede leer: "A pesar de lo que creas también sé telefonear, para que te enteres. Tu amigo F. Boix".

Este regreso incluye **tres decepciones** fundamentales: la falta de la difusión masiva de las fotos; aunque parte fueron publicadas en *Regards y Ce Soir* en junio del 45, Boix había salido con muchas más de ellas. No obstante, muchas de esas fotos llamaron la atención de los investigadores que deseaban inculpar a los jerarcas nazis, por lo que poco después se probó su utilidad: el riesgo había merecido la pena

La segunda fue la "condena a muerte" por parte de **Stalin** de todos los comunistas que no habían fallecido en campos de concentración: les consideraban traidores o posibles espías. Ello condenó al Gulag también a muchos de los que buscaron en la URSS acogida, desde republicanos combatientes comunistas hasta "niños de la guerra". Muchos de los supervivientes de Mauthausen fueron expulsados del partido.

La **tercera gran decepción** fue que los aliados nunca liberaron España y dejaron vivir en paz, hasta el final de sus días, al último gran dictador fascista de Europa.

Esta fotografía gustará particularmente a los apasionados del cómic: aparecen Boix y su amigo José Cabrero Arnal, el autor de *Pif le chien*, que se publicará en el diario *L'Humanité*. Cabrero Arnal y Boix estaban juntos en Mauthausen. Benito Bermejo reconoció incluso a Boix en una de las tiras de *Pif*, donde un fotógrafo aparecía con sus rasgos.

Antonio Esporrín, Joaquín López Raimundo y Francisco Boix.

Francisco Boix, refugiado ilustre

El segundo exilio en Francia de los dos mil republicanos españoles supervivientes de Mauthausen

Texto de Daniel Simon
Presidente de la Amical de Mauthausen

De las fechorías del mundo en que vivimos, ¿los refugiados no se han convertido en sus mejores conocedores? Su mismo éxodo afirma una identidad colectiva que apela a una conciencia humanista sin fronteras, frente a la xenofobia y, como mínimo, los egoísmos de los ciudadanos establecidos. En ese combate siempre desigual, los medios materiales, jurídicos y políticos inevitablemente no bastan para hacer triunfar, más que puntualmente, la exigencia de humanidad. Notemos, sin embargo, que esta es inextirpable y que la beneficencia asociativa pesa tanto como puede hacerlo en la relación de fuerzas.

Si la condición de refugiado y los dramas humanos asociados a este son atemporales y universales, su problematización es moderna: ¿cómo justificar hoy en día —todavía más que hacia 1930, cuando la idea de frontera apenas era discutida— el hecho de que la proclamada libre circulación de todo —mercancías, información, e incluso los grandes principios— sea denegada a los simples mortales? ¿Qué muestras de sensibilidad, empatía, incluso de solidaridad nos atrevemos a testimoniar a los refugiados, los exiliados forzosos, en su necesidad primaria de una tierra de acogida?

Basta con vivir con los ojos abiertos: la realidad nos asedia. Siempre es útil ponerla en perspectiva, para ahuyentar el error de las simpatías selectivas. Primero, entre una categoría y otra: los más implicados en la memoria de algunas diásporas trágicas, incluso de una sola, son capaces de considerar con una indiferencia hostil a los que vagan ante su puerta, quienes solo despiertan en ellos los reflejos más crudos del odio hacia el otro. Luego, entre nuestro presente y una época pasada: el exilio forzoso, en Francia, a finales de los años treinta, de los centenares de miles de vencidos de la Guerra Civil Española, es un caso ejemplar. Porque eran portadores de un legítimo orgullo que, creían, no podía sino ser comprendido en Francia —en aquel tiempo, este país proyectaba en toda Europa, a veces más allá, una imagen de "patria de los derechos humanos", ¡y la Francia del Frente Popular más todavía!—.

Sin embargo, es sabido que padecieron la terrible experiencia de los campos de internamiento abiertos por nuestra república.

Entre esta masa de combatientes republicanos refugiados, ¿qué importancia habían de tener los aproximadamente siete mil que terminarían siendo deportados a Mauthausen, porque habían reanudado el combate bajo bandera francesa? Y los dos mil que sobrevivieron al campo nazi no tuvieron otra elección que un segundo exilio, en 1945, casi todos ellos en Francia. Fuera de contados lugares de acogida fraternal, fueron casi invisibles y conservaron lo que había constituido su fuerza invencible: la resistencia a la adversidad. En este fresco, la figura de Francisco Boix que, en efecto, bien puede iluminar conciencias, por fin comienza, en España en primer lugar, a salir del olvido. ¿Qué imagen dejó este hombre, en primer lugar a los que lo frecuentaron aquellos años en París? La de un militante algo retraído y seductor, una cara sonriente de paso fugaz (muerto en 1951) pero de acciones y legado de gran importancia, tanto en el campo como a su regreso. En Mauthausen se encontró en el corazón de la resistencia clandestina de los detenidos españoles, asignado a un puesto cuya importancia había perfectamente calculado (el laboratorio fotográfico de las SS), y fue protagonista de una acción capital de la resistencia española y de la historia misma de los campos nazis —¡el robo de centenares de negativos a las SS!—. Luego fue fotógrafo de la Liberación, con una Leica cogida del laboratorio, y más tarde fue llamado a testificar, dando fe del asunto de las fotografías robadas en los procesos de Nuremberg y Dachau (el de los verdugos al mando en Mauthausen). En París, adonde algunos españoles trajeron inestimables archivos de las SS (entre ellos un fondo fotográfico excepcional, depositado por la Amical de Mauthausen en los Archivos nacionales), lo reencontramos empleado como fotógrafo de la prensa comunista, *Ce soir, L'Humanité, Regards,* y cubriendo sobre el terreno ceremonias muy políticas. Tempranamente, es inhumado en un cementerio del extrarradio parisino,

dejando a otros a cargo de construir, durante las décadas siguientes, la memoria del campo, de los españoles en el campo. Su propia imagen emerge, desde hace poco, en libros y películas, y está adquiriendo la resonancia más amplia y persistente de un icono.

El "regreso" de los prisioneros españoles de Mauthausen fue tardío y complicado: sin duda, no se trata de una "repatriación", puesto que la España franquista les está vedada; además, los liberadores estadounidenses se niegan al principio a concederles el regreso a Francia, al "no disponer de órdenes" en ese sentido. No obstante, asegura por ejemplo Mariano Constante, "para nosotros no podía haber duda: seríamos repatriados a Francia". El grupo del que forma parte Constante es retenido tres semanas en Suiza, donde la presencia de "españoles rojos" causa preocupación... La mayoría llega a París a partir del 18 de junio, esto es, seis semanas después de su liberación; más de un mes después de los franceses. En el plano jurídico, su seguridad es mayor que en 1939: un decreto del 15 de marzo de 1945 les reconoce al fin su estatus de refugiados políticos, lo que les da acceso a derechos sociales. Todos confían en que Franco va a abandonar la escena. Pero no, ¡los Aliados lo dejan en su sitio! Esta herida es incurable: se ven obligados a instalarse en un exilio duradero, incluso definitivo... Hay que esperar al año 2000 para ver, en el cementerio de Père-Lachaise de París, a un ministro francés participar por primera vez en un solemne homenaje a los republicanos españoles deportados.

El mismo año de 1945, dos verdaderos territorios de acogida se ofrecerán a los republicanos españoles supervivientes de Mauthausen y refugiados en Francia: la FEDIP (creada en Toulouse, de tendencia anarquista) y la Amical de Mauthausen, sin identidad política, pero en la que, en ese momento, deportados comunistas franceses ocupan puestos de avanzadilla junto con otros de ideología muy diferente. En seguida, los camaradas españoles se encuentran como en casa, y esta verdad les será testimoniada y reiterada sin descanso.

Boix no vivió la continuación de la historia: el pago de una indemnización concedida por Alemania a los deportados españoles; la erección sobre el campo, a iniciativa de la Amical de Mauthausen (París) y por suscripción, del monumento en recuerdo de los republicanos españoles (1962); la muerte de Franco en 1975, que no es seguida de la restauración de la República ni del reconocimiento de la terrible represión franquista de 1939 en adelante; la creación en España, no obstante, de una *Amical de Mauthausen y otros campos* (1978) y la posibilidad de cruzar la frontera sin peligro.

En época más reciente, la Amical francesa hará todavía más patente su doble identidad franco-española: Pablo Escribano, luego Alexandre Vernizo, hasta la muerte de uno y otro, portarán la bandera de la Amical (en 2013, una votación solemne decidirá que en adelante una insignia con los colores de la República española cuelgue de esta bandera). En 2012, una jornada del 44º congreso de la Amical, en el Ayuntamiento de París, será dedicada a los diferentes aspectos de la memoria española de Mauthausen, con contribuciones de los principales especialistas de esta historia, españoles, austríacos, franceses. En cuanto a la memoria específica de Francisco Boix, requiere hoy perpetuar su sepultura —asunto complejo, tanto en el plano administrativo como financiero, muy sensible para la Amical de Mauthausen, que ha asumido la responsabilidad de la concesión desde el principio y que hoy multiplica los contactos, moviliza y aúna las más diversas fuerzas y trabaja por una solución, en condiciones de dignidad y visibilidad dignas de la notoriedad creciente de Francisco Boix, parcela inestimable del patrimonio histórico y cultural de Francia.

Daniel Simon

NUREMBERG

Marie-Claude Vaillant-Couturier, retratada por Boix en Nuremberg.

Comienza aquí la última parte del álbum, que narra de forma resumida las peripecias de Francisco hasta que pudo declarar en **Nuremberg,** incluyendo su encuentro documentado con la heroína de la resistencia Marie-Claude Vaillant-Couturier, una de las pocas personas que —imaginamos— podría comprenderle en ese trance, y que reflejamos a modo de homenaje. Viuda de Louis Aragon, Marie-Claude había sido fotógrafa antes de la guerra y suponemos que encontrarían un terreno común de conversación.

Boix y Marie-Claude Vaillant-Couturier en el palacio de justicia de Nuremberg.

Parte de la ciudad de Nuremberg, fotografiada por Boix durante su visita.

Sobre la entrada al juicio, Francisco fue realmente invitado a declarar, pero hemos decidido ilustrar una anécdota real: en cierto momento, se le negó la posibilidad de viajar a Grecia como periodista. Era el destino de los apátridas aún al salir del campo, ya que no eran franceses ni españoles.

En cuanto al juicio propiamente dicho, Boix fue llamado a comparecer el 28 y 29 de enero de 1946. Todos los diálogos están tomados de las actas públicas reales. Tan solo se han adaptado a la narración y para reflejar la nueva política europea, en la que importaba más la restauración económica y diplomática... que la justicia.

Una de las fotos que dan fe de la presencia de Himmler, Ziereis y Kaltenbrunner en Mauthausen.

Sobre estas líneas: El instante en que Boix señaló, con un dedo acusador, a Albert Speer, al que hemos sustituido en nuestra historia por Kaltenbrunner.

Es igualmente cierto que **no le dejaron declarar** sobre la responsabilidad francesa y franquista en cuanto a su deportación. "Eso no viene al caso", contestó el fiscal francés.

Un detalle de adaptación: en nuestra historia, Boix **señala con el dedo** acusador a Ernst Kaltenbrunner; dicha escena tuvo lugar, pero nuestro protagonista acusó así a Albert Speer, ministro de Armamento y de la Guerra, **lo que está incluso grabado en una película documental**. Hemos elegido cambiar al sujeto por coherencia narrativa.

Star Witness Incriminates Nazis

While Mauthausen Prisoner, Spanish Republican Steals 2,000 Negatives

The curly-haired, smooth-faced lad fingered his way through a bright little tune on the piano keys. Just another EATS passenger sweating it out in the lounge.

Francisco Boix is now twenty-five. A loyal son of Barcelona and the Spanish Republic, he volunteered to fight Franco's troops on the Madrid front at the age of fifteen. His mother was killed when the Germans bombed Barcelona, and his father died in a Franco concentration camp. This, plus his thirty-two months of action in which he was wounded three times, was but a short prologue to succeeding events.

When the Republic fell to its enemies, Francisco escaped to France, only to be seized by the Daladier regime and interned in a concentration camp for nine months with others like himself. The follow-

ing eight months saw him at hard labor building roads in the Vosges mountains.

In 1940, when the Wehrmacht overran France, the interned Spanish Republicans exchanged task-masters. The Germans shuffled them from one PW camp to another, for a while, Belfort, Mulhouse, Hanover. Then, one day, the Spanish anti-fascists were told they were returning to Spain. Fearing Franco reprisals, they expressed their unwillingness to go back. The Germans then committed them to Mauthausen concentration camp with other victims from all over Europe. There, out of an original number of 8,000 Spaniards, 6,600 were murdered by every form of sadism the imaginative Nazi mind could devise-electrocution, shoot-

(Please turn to page two)

(continuado en otro lado)

La ciudad de Nuremberg fotografiada por Boix durante los días del proceso.

Kaltenbrunner fue **colgado** el 16 de octubre de 1946 junto a 10 nazis más. En los "juicios de Dachau" se colgó a 49. De los 15.000 SS que sirvieron en Mauthausen, solo 200 fueron juzgados; la mayor parte de oficiales de las SS y la Gestapo quedaron en libertad y rehicieron sus vidas.

En cualquier caso, las **fotos** presentadas por Boix sirvieron como prueba del conocimiento de los líderes nazis de lo que ocurría allí de forma irrefutable, lográndose las condenas. Sin embargo, Francisco solo pudo mostrar unas 18 fotos de las (según las estimaciones) miles que había robado.

Un judío ruso ahorcado con la cuerda que le servía de cinturón.

Derecha: Judíos neerlandeses que, con toda probabilidad, fueron obligados a lanzarse contra la alambrada electrificada.

Abajo: Foto tomada, como tantas otras, por Ricken: prisioneros españoles empujando una vagoneta llena de tierra.

Arriba: Una de las fotografías que ilustran uno de los episodios contados por Boix durante el proceso: el de Hans Bonarewitz, un prisionero evadido, atrapado y ejecutado por los nazis, que fue obligado, a modo de castigo ejemplarizante, a desfilar ante los otros detenidos al son de una orquesta.

Ziereis pidiendo a los detenidos que muestren su manera de trabajar a unos visitantes.

Arriba: Según Boix, este prisionero fue abatido por una bala en la cabeza antes de ser arrojado sobre la alambrada de espino para simular una tentativa de fuga.

Izquierda: Cadáver de un hombre arrojado al vacío desde lo alto de la cantera, esto es, desde una altura de 70 metros.

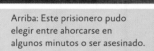

Arriba: Este prisionero pudo elegir entre ahorcarse en algunos minutos o ser asesinado.

Según Boix, estos judíos neerlandeses, a los que se les había pedido que recogieran piedras cerca de las alambradas, fueron asesinados por los guardias, que recibían una prima por todo prisionero abatido.

LA ADUANA

El final del álbum nos lleva de regreso al momento en que Francisco aguarda en la **frontera franco-española** (Pas de la Casa) la llegada de su hermana Núria. Solo se tenían el uno al otro: su madre había muerto antes de la guerra y su padre falleció en 1942.

Sobre su tos, hay que explicar que Francisco ya arrastraba en esta época la enfermedad que le mataría, posiblemente tuberculosis adquirida en Mauthausen.

El principio y el final de nuestra historia: Boix esperando a su hermana Núria en la frontera franco-española; reencuentros reales y simbólicos que nunca tuvieron lugar.

Boix. ¿Lograremos encontrar el resto de sus fotos de Mauthausen y el libro que escribió sobre su cautiverio, titulado *Spaniaker*?

Acerca del final de la escena: como cualquier deportado, Francisco no podía pisar territorio español, o sería encarcelado o fusilado, lo que ocurrió a muchos de los que intentaron volver. Aquí guardamos el suspense sobre si efectivamente se dirige a España o no.

En cualquier caso, sabemos que Boix no vio ese día a su hermana **Núria** (ella no pudo llegar a la cita) y que el encuentro entre hermanos, como el de tantos deportados españoles, nunca tuvo lugar.

La anécdota con Marianne está basada en hechos reales: al parecer, Francisco tenía suma facilidad para entablar conversación con chicas y no perdía ocasión de fotografiarse con ellas, como demuestran las muchas fotos que se conservan.

Boix lleva consigo todas las fotografías y documentos que conforman su legado. Historiadores como Benito Bermejo opinan que hay muchas más fotos de Boix de las que se conocen (afirmó poseer unos 20.000 negativos, que cabrían en esa maleta), y este archivo podría estar perdido, quizá en París. De ser así, podría hallarse en algún momento, como ocurrió con la famosa "maleta mexicana" de Robert Capa.

No sería la primera vez: de hecho, en 2013 otro lote de 706 fotos de la Guerra de España de autor desconocido fue localizado e identificado por la asociación *Fotoconnexió* como de un jovencísimo

Una última curiosidad: Francisco toca a la armónica una de sus canciones favoritas, muy adecuada para este momento: "Si me quieres escribir".

Núria Boix, hermana de Francisco.

EPÍLOGO

Boix en pleno trabajo, fotografiando a Pablo Picasso en noviembre de 1945.

Boix tras una cámara de filmación. Dada su condición de periodista, podría haber utilizado una. Si es el caso, la película que dirigió quizá se encuentre algún día.

Por los **campos** pasaron un total de 9.328 españoles documentados, de los que murió el 59%. Solo en Mauthausen entraron 7.532 españoles y murieron asesinados 4.816 (3.959 en Gusen)[9], casi el 65%. El 90% murió entre 1941 y 1942. Muchos supervivientes morirían tras la Liberación como consecuencia de las enfermedades y abusos sufridos, y otros vivirían duras experiencias en el exilio: hombres, mujeres y niños. Un puñado de ellos sigue vivo hoy en día y cuentan su historia para que no vuelva a ocurrir(nos), y que la narrativa esté segura en manos de sus hijos y nietos.

Resulta interesante recordar la **descripción** que el PCE hizo de su persona tras la Liberación: "Francesc Boix. Ninguna preparación política. Indisciplinado en grado sumo. Anárquico. Sectario. Se le ha llamado muchas veces la atención. Aparte de esto ha realizado muy buenos trabajos". Pese a tanta indisciplina, que fue la que seguramente le

Francisco trabajó como fotógrafo en París (llegando a conocer a Picasso) y **falleció** el 7 de julio de 1951, con casi 31 años de edad, presumiblemente de una enfermedad contraída en el campo.

9. Debe tenerse en cuenta que las cifras citadas son solo las que están certificadas. Los números reales pueden ser más altos.

Autorretrato de Francisco como periodista de guerra tras la Liberación.

François BOIX

photographe à l'Humanité

est mort hier

Francesc (François) Boix, notre Paco, le populaire reporter photographe de « l'Humanité », combattant de l'Espagne républicaine, est mort hier à 30 ans des suites d'une longue et terrible maladie provoquée par les sévices subis dans les camps de concentration de Daladier et de Hitler.

Paco avait 15 ans en 1936 quand Hitler et Mussolini jetaient leur Franco contre la République populaire espagnole.

Militant barcelonais de la Jeunesse socialiste unifiée, il répondit à l'appel de sa patrie en s'engageant dans l'armée républicaine.

On sait comment la « non-intervention » de Léon Blum permit en Espagne la victoire du fascisme. Et, parmi tant d'autres, en 1939, Paco fut enfermé par Daladier dans les camps d'Argelès et de Gurs.

En 1940, Hitler se saisit des antifascistes espagnols. 10.000 sont envoyés à Mauthausen dont à peine 2.000 reviendront.

Paco est de ceux-là. Là-bas, au risque quotidien de sa vie, il a réussi à « planquer » des épreuves des photos prises par les SS et qui constituent le plus écrasant des témoignages contre les criminels de guerre.

Mais les camps qui l'ont pris à l'âge où une vie régulière est si nécessaire, ont ruiné irrémédiablement la santé de notre cher camarade. Malgré les efforts de dévoués chirurgiens qui tentèrent de prolonger son existence, Boix a succombé.

Il y a quelques semaines, Vincent Auriol disait à l'ambassadeur de Franco « que nul n'était plus qualifié que lui pour représenter l'Espagne ».

En accompagnant Francesc Boix, notre Paco, à sa dernière demeure, nous, ses camarades de travail et de déportation, saurons dire que ce qui représente l'Espagne, ce ne sont pas les gens de Franco mais ces hommes modestes et simples qui, comme Paco, savent accomplir jusqu'à la mort leur devoir.

François BOIX

photographe à l'Humanité

est mort hier

des suites des sévices subis dans les camps de concentration de Daladier et de Hitler

François BOIX
(Lire l'article en 4e page)

movió a llevar a cabo el robo, se le permitió seguir en las JSU. Un superviviente (Ramiro Santisteban) recuerda: "Tenía la cara más dura que el cemento pero ayudaba siempre que podía. Se merece un monumento".

A diferencia de muchos otros deportados, el nombre de Francisco, Francesc o Paco Boix nunca cayó en el olvido gracias a historiadores, documentalistas y admiradores de su figura. Su cuerpo, enterrado en el cementerio de Thiais, fue rescatado ante el peligro de pérdida de la concesión administrativa (que podía haberle hecho terminar en la fosa común) y fue trasladado en presencia de las autoridades al cementerio de Père-Lachaise el 16 de junio de 2017.

Una figura que representa la valentía de muchos hombres y mujeres, cuya historia, gracias a que seguiremos contándola, esperamos hacer verdaderamente inmortal.

Arriba: Necrológica de Francisco, fallecido el 7 de julio de 1951, publicada en el diario *L'Humanité*.

Acuarela inspirada en la ceremonia del 16 de junio de 2017.

EPÍLOGO

MÁS DE SETENTA AÑOS DESPUÉS...

Además de contar la extraordinaria historia de Francisco Boix y sus camaradas, esta novela gráfica tiene otro propósito: difundir el conocimiento del Holocausto español y el destino de sus supervivientes.

La razón es que aunque pueda parecer extraño, este concepto está comparativamente poco difundido en la historiografía española y tiene escasa presencia en la cultura popular, por lo que tampoco ha llegado a la conciencia pública a nivel mundial. Se habla del Holocausto gitano, homosexual, de presos políticos, la Shoah... pero no se habla tanto del "Holocausto español", ni siquiera en España.

Ello es aún más extraño si consideramos que este Holocausto no solo tuvo lugar durante la guerra o en los campos de concentración: el fascismo mató a miles de españoles en la Segunda Guerra Mundial, pero también *antes y después*: durante la Guerra de España y en la larguísima y terrible posguerra y dictadura franquista. Solo en este último período, estimaciones de conservadoras a generosas cuentan de 50.000 a 400.000 muertos...

Cualquiera supondría que por todo ello, el Gobierno de España hace todo lo posible para enmendar el sufrimiento causado y el desconocimiento de los hechos. Pero esa no es la verdad. Todavía hoy (2017), una ley de 1977 prohíbe juzgar a ejecutores, torturadores y genocidas de la guerra y el régimen de Franco. Y aún hoy, unas 136.000 personas ejecutadas ilegalmente yacen enterradas sin que se pueda poner a sus asesinos ante la justicia por crímenes contra la humanidad, ni al menos devolver sus restos a las familias para que les den un entierro digno y humano. España es el segundo país del mundo, tras Camboya, en número de desaparecidos cuyos restos no han sido identificados ni recuperados.

Sí, en 2007 se promulgó una ley que obliga al Gobierno a hacerlo, y a compensar a las familias y asociaciones de deportados, pero para evitar cumplirla, en 2013 el Gobierno otorgó un total de *cero* euros para el cumplimiento de esa ley, derogándola *de facto*: así, como un delincuente, el Gobierno español desobedece sus propias leyes. ¿Cómo interpretarlo? ¿Cómo interpretarlo, cuando en el mismo año, la Delegada del Gobierno en Cataluña participó en un acto de homenaje en el que intervino la División Azul, es decir, las tropas españolas enviadas a combatir junto a Hitler?

Hasta hoy, organizaciones como Amnistía Internacional, Human Rights Watch, el Consejo de Europa y Naciones Unidas han exigido al Gobierno Español que investigue estos crímenes y derogue la ley de Amnistía. En vano.

La razón obvia es que la democracia llegó a España en 1978... a cambio de la exigencia de olvidar. ¿Pero es esta una democracia real? Aún hoy muchos de nuestros políticos, empresarios, sacerdotes, jueces y la monarquía son herederos naturales o espirituales de la ley de obediencia de Franco: "Todo ha quedado atado, y bien atado". Si no, ¿cómo explicar la tolerancia de todos esos estamentos ante crímenes contra la humanidad y el desprecio a las víctimas y sus familias hasta hoy?

Quizá la generación de la Transición prometió olvidar, pero las generaciones siguientes no hicimos esa promesa. La nuestra es otra: la de no callar, la de hablar, la de contar.

Es por ello que en un país normal Francisco Boix, el protagonista de nuestra historia y el único español que declaró en los juicios de Nuremberg, sería considerado un héroe. Un símbolo de valentía, resistencia y libertad. Pero la realidad es que aún muy pocos saben quién es y qué ocurrió en Mauthausen a miles de republicanos, deportados y refugiados.

Así, nuestra intención es continuar su trabajo: contar la historia de lo que ocurrió en Mauthausen hasta que todo el mundo la conozca.

De otra forma, los supervivientes y sus descendientes vivirán el mismo destino que los deportados, a la vez españoles y apátridas, como atestiguaba la "S" sobre un triángulo azul: mientras otras nacionalidades pudieron volver a sus países a disfrutar de su libertad, los españoles quedaron exiliados, sin lugar a donde ir, abandonados por los gobernantes y sin obtener la compensación u honores que merecen por luchar por la libertad de la que ahora disfrutamos.

Así que mientras tengamos voz, contaremos su historia.

¡Va por ti, Francisco!

Salva Rubio, marzo de 2017

BIBLIOGRAFÍA

LIBROS Y DOCUMENTALES

Armengou, M.
El Comboi dels 927
[documental].
Televisió de Catalunya,
RTVE, 2005.

Batiste Baila, F.
*El sol se extinguió en
Mauthausen: vinarocenses
en el infierno nazi.*
Vinaròs: Antinea, 1999.

Bermejo, B.
*Francisco Boix:
el fotógrafo de Mauthausen.*
Madrid: RBA, 2002.

Colectivo.
*La part visible dels camps
–Imágenes y memoria
de Mauthausen*
Viena: Bundesministerium
für Inneres, 2005.

Fernández Pacheco, A.
*Mauthausen, una mirada
española* [documental].
RTVE / Chaya Films, 2007.

Gallart, Vivé E.
*Los republicanos
españoles en el sistema
concentracionario del
KL Mauthausen:
«el kommando César».*
Monografías del exilio
español, 9. "Memoria
Viva" Asociación para el
Estudio de la Deportación
y el Exilio Español, 2011.

García Gaitero, P.
*Mi vida en los campos
de la muerte nazis.*
Trobajo del Camino
(León): Edilesa, 2005.

Hernández de Miguel, C.
*Los últimos españoles de
Mauthausen.* Barcelona:
Ediciones B, 2015.

Llorente, M. et Ripoll, L.
El Triángulo Azul
[pièce de théâtre].
Madrid: Instituto
Nacional de Artes
Escénicas y de Teatro,
2014.

Massaguer, L.
Mauthausen, fin de trayecto
(Edicion de María de los
Ángeles García-Maroto).
Madrid: Fundación
de Estudios Libertarios
Anselmo Lorenzo, 1997.

Pike, D. W.
*Españoles en el Holo-
causto: vida y muerte
de los republicanos en
Mauthausen.* Barcelona:
Debolsillo, 2008.

Sella, J. et Tomàs, C.
*Mauthausen, el deber de
recordar* [documental].
RTVE, 2000.

Soler, Ll.
*Francesc Boix, un
fotógrafo en el infierno*
[documental].
Area Tv, 2000.

Torán, R. y Sala, M.
*Mauthausen. Crònica
gràfica d'un camp de
concentració.* Barcelona:
Viena Edicions, 2002.

Torán, R.
*Mes enllá de Mauthausen:
Francesc Boix, fotògraf.*
Museu d'Història
de Catalunya, 2015.

Vergara, P.
*Más allá de la alambrada:
la memoria del horror*
[documental].
Sorolla Films, 2005.

Vilanova, M.
*Mauthausen, después.
Voces de españoles
deportados.* Madrid:
Cátedra, 2014.

Diversos autores.
*Més enllà de Mauthausen.
Francesc Boix, fotògraf.*
Museu d'Història
de Catalunya, 2015.

SITIOS WEB

deportados.es

amical-mauthausen.org

campmauthausen.org

mauthausen-memorial.org

PEDRO J. COLOMBO (1978, Granollers, España). Antes incluso de aprender a leer, a Pedro le fascinan los cómics de *Spider-Man* de John Romita Sr.

y Gil Kane. A la edad de 14 años, decide dedicar su futura vida profesional al cómic. Entre 1998 y 2000, estudia en la Escuela Joso de Barcelona. Tras la publicación de su primer cómic, *Sangre noctámbula*, en Éditions Carabas, se dedica al mercado franco-belga. Dibuja los tres tomos de *Trois... et l'ange*, una serie escrita por Morvan (Dargaud Benelux). Siempre con Morvan como guionista, publica una historia corta en el tomo 3 de las *Chroniques de Sillage* (Delcourt). Participa en el álbum colectivo *La vieille dame qui n'avait jamais joué au tennis et autres nouvelles qui font du bien* escrita por Zidrou y publicada por Éditions Dupuis. Inicia una colaboración con el guionista Josep Busquet, con el cual realiza tres álbumes: *Khaz* (Styx), *En segundo plano* (Diábolo Ediciones) y *Addiction* (Akileos). Dibuja, a partir del tomo 11, *Droit au but !*, la serie dedicada al Olympique de Marsella. *El fotógrafo de Mauthausen* es su primera colaboración con el guionista Salva Rubio.

Tras haber vivido cinco años en Granada, actualmente vive en Bilbao. Durante su tiempo libre, dibuja, lee, ve películas de serie Z y "mata" en la PS.

AINTZANE LANDA (1980, Barakaldo, España). Aintzane crece leyendo *Mafalda, Tintin* y *Astérix*. Hoy, lee todo lo que cae en su mano. Cuando

se instala en Granada con su marido, Pedro J. Colombo, se inicia en el coloreado. Rápidamente descubre que es su vocación. Participa en los tomos 3 y 6 de la serie *Les chroniques de Sillage* (Delcourt). Colorea también la historia *Les poulets rôtis* dibujada por Pedro J. en el álbum colectivo *La vieille dame qui n'avait jamais joué au tennis et autres nouvelles qui font du bien* (Dupuis). Es la colorista de los álbumes escritos por Josep Busquet y dibujados por Pedro J.: *Khaz* (Styx), *En segundo plano* (Diábolo Ediciones) y *Addiction* (Akileos). Paralelamente, participa en el coloreado de los tomos 1 y 2 de *La peur géante* (Ankama). Actualmente, es la colorista, desde el tomo 13, de la serie del Olympique de Marsella, *Droit au but !* Ha trabajado junto a su marido en *El fotógrafo de Mauthausen*.

Actualmente, vive en Bilbao. Dedica el poco tiempo libre del que dispone a la creación de amigurumis y cuadernos, a la rotulación, el *scrapbooking*, etc.

SALVA RUBIO (1978, Madrid, España). Guionista, escritor e historiador especializado en proyectos de tipo histórico. Finalista del prestigioso premio *SGAE Julio Alejandro*, Salva Rubio ha recibido numerosos reconocimientos como guionista. En 2010, uno de sus cortometrajes fue preseleccionado en los Goya. Posee un máster en escritura de guion para cine y televisión (Universidad Carlos III de Madrid), ha coescri-

to no solamente cortometrajes, sino también varios proyectos cinematográficos para diferentes productoras españolas, como el largometraje de animación *Deep* (2017). Como escritor, ha publicado obras originales y adaptaciones. También imparte cursos de narrativa. Como guionista de cómic, *El fotógrafo de Mauthausen* es su segunda novela gráfica publicada en Norma Editorial tras *Monet, Nómada de la luz*. Pintor y dibujante amateur, Salva Rubio lo intenta también con el yoga, por más que siempre acabe por caerse.
www.salvarubio.info

LOS AUTORES